Noites de Tormenta

Nicholas Sparks

Noites de Tormenta

Tradução
Saul Barata

Editora Novo Conceito

Título original: *Nights in Rodanthe*

12ª Impressão — 2012

Produção Editorial: Equipe Novo Conceito
Tradutor: Saul Barata
Preparação de Texto/Adaptação: Elvira Serapicos
Revisão de Texto: Vânia Cobiaco, Carla Montagner, Camila Sanches e Maria Lúcia Alves de Oliveira
Editoração e Diagramação: S4 Editorial

Este livro segue as regras da Nova Ortografia da Língua Portuguesa

Dados Internacionais de Catalogação na Publicação (CIP)
(Câmara Brasileira do Livro, SP, Brasil)

Sparks, Nicholas
Noites de tormenta / Nicholas Sparks; (tradução Saul Barata). — São Paulo: Novo Conceito, 2008.

Título original: Nights in Rodanthe.
ISBN 978-85-99560-51-8

1. Ficção norte-americana I. Título.
08-08915 CDD-813

Índice para catálogo sistemático:
1. Ficção : Literatura norte-americana 813

Editora Novo Conceito
Rua Dr. Hugo Fortes, 1885 – Parque Industrial Lagoinha
14095-260 – Ribeirão Preto – SP
www.editoranovoconceito.com.br

Para Landon, Lexie e Savannah

Agradecimentos

Noites de Tormenta, como todos os meus romances, não poderia ter sido escrito sem a paciência, o amor e o apoio da minha mulher, Cathy; que a cada ano que passa, fica ainda mais bonita.

Como a dedicatória foi feita para meus outros três filhos, tenho de agradecer a Miles e a Ryan (que receberam uma dedicatória em *Uma Carta de Amor*). Eu amo vocês, rapazes!

Também quero agradecer a Theresa Park e a Jamie Raab, respectivamente minha agente e minha editora. Elas tanto têm uma intuição maravilhosa, como estão sempre atentas ao que escrevo. Embora eu às vezes reclame dos desafios que surgem, o produto final é o que é por causa dessas duas. Se elas gostam da história, é muito provável que você também goste.

A Larry Kirshbaum e Maureen Egen da Warner Books também merecem meu agradecimento. Quando vou para Nova York, o tempo que passo com eles é como se estivesse visitando minha família. Eles transformaram a Warner Books em um lar maravilhoso para mim.

A Denise Di Novi, produtora tanto de *Uma Carta de Amor* quanto de *Um Amor para Recordar*, não é apenas uma pessoa competente, mas é também alguém em quem confio e que respeito. É uma boa amiga e merece meu agradecimento por tudo o que fez — e que ainda faz — por mim.

A Richard Green e Howie Sanders, meus agentes em Hollywood, grandes amigos, grandes pessoas e grandes no que fazem. Obrigado, rapazes.

A Scott Schwimer, meu advogado e amigo, sempre cuidando de mim. Obrigado.

Na publicidade, tenho de agradecer a Jennifer Romanello, Emi Battaglia e Edna Farley; a Flag e a todo pessoal que faz a capa; a Courtenay Valenti e Lorenzo De Bonaventura, da Warner Bros.; a Hunt Lowry e Ed Gaylord II, da Gaylord Films; a Mark Johnson e Lynn Harris, da New Line Cinema. Tem sido ótimo trabalhar com vocês. Obrigado a todos.

Mandy Moore e Shane West foram maravilhosos em *Um Amor para Recordar*, e agradeço seu entusiasmo pelo projeto.

Então vem a família, que talvez goste de ver seus nomes aqui: Micah, Christine, Alli e Peyton; Bob, Debbie, Cody e Cole; Mike e Parnell; Henrietta, Charles e Glenara; Duke e Marge; Dianne e John; Monte e Gail; Dan e Sandy; Jack, Carlin, Joe, Elaine e Mark; Michelle e Lemont; Paul, John e Caroline; Tim, Joannie e Papa Paul.

E, é claro, como poderia esquecer Paul e Adrienne?

Noites de Tormenta

Capítulo um

Três anos antes, em uma cálida manhã de novembro de 1999, Adrienne Willis tinha voltado para a pequena pousada, que lhe parecera absolutamente inalterada à primeira vista, como se fosse imune ao sol, à areia e à brisa salgada. A varanda havia sido pintada recentemente, e as janelas retangulares com cortinas brancas estavam encaixadas entre persianas pretas reluzentes nos dois andares, como se fossem teclas de piano. As tábuas de cedro da lateral tinham a cor da neve empoeirada. Em cada lado do edifício, pés de aveia marinha acenavam ao sabor do vento, e a areia formava uma duna arredondada que mudava imperceptivelmente a cada dia por causa do movimento dos grãos que iam de um lugar para outro.

Com o sol pairando entre as nuvens, o ar adquiria uma qualidade luminescente, como se houvesse partículas de luz suspensas entre a névoa. Por um momento Adrienne teve a sensação de que havia voltado no tempo. Mas olhando mais atentamente, começou a perceber as mudanças que um trabalho cosmético não poderia esconder: a deterioração nos cantos das janelas, linhas de ferrugem ao longo do teto, marcas de água perto das calhas. A pousada estava decaindo, e, apesar de saber que não havia nada que pudesse fazer para mudar essa situação, Adrienne lembrou-se de ter fechado os olhos, como se, num passe de mágica, pudesse voltar a ser o que já havia sido.

Agora, parada ali em pé na cozinha de sua própria casa, a poucos meses de seu sexagésimo aniversário, Adrienne desligou o telefone depois de ter falado com sua filha. Sentou-se à mesa, pensando naquela última visita à pousada, lembrando o longo fim de semana que havia passado ali. Apesar de tudo que acontecera nos anos que se passaram desde então, Adrienne ainda acreditava firmemente que o amor era a essência de uma vida plena e maravilhosa.

Lá fora, a chuva caía. Ouvindo a batida suave dos pingos d'agua contra o vidro, sentia-se grata por essa sensação permanente de familiaridade. A lembrança daqueles dias sempre despertava em Adrienne uma mistura de emoções — algo semelhante, mas não exatamente igual à nostalgia, um sentimento muito romantizado, por isso não havia motivo para tornar aquelas lembranças ainda mais românticas do que já eram. E ela também não as dividia com ninguém. Eram suas, e com o passar dos anos, passou a vê-las como uma espécie de exposição de museu, da qual era ao mesmo tempo curadora e a única patrona. De maneira peculiar, Adrienne havia chegado à conclusão de que aprendera mais naqueles cinco dias do que em todos os anos que vivera antes ou depois.

Ela estava sozinha na casa. Seus filhos eram adultos agora, seu pai havia morrido em 1996, e já fazia dezessete anos que estava divorciada de Jack. Embora seus filhos às vezes insistissem para que encontrasse alguém para passar os anos que ainda lhe restavam de vida, Adrienne não sentia a menor vontade. Não que ela tivesse alguma coisa contra os homens; pelo contrário, mesmo agora, ela de vez em quando percebia que estava olhando para um homem mais jovem no supermercado. Como às vezes eles eram apenas alguns anos mais velhos que seus próprios filhos, ficava curiosa sobre o que pensariam se percebessem que os estava observando. Será que a ignorariam logo de cara? Ou devolveriam o sorriso, considerando charmoso o seu interesse? Ela não tinha certeza. Como também não sabia se eles conseguiriam ver além do cabelo grisalho e das rugas e perceber a mulher que havia sido.

Não que lamentasse a velhice. As pessoas agora só falavam das glórias da juventude, mas Adrienne não tinha a menor vontade de voltar a ser jovem. Meia-idade, talvez, mas jovem não. É claro que ela sentia falta de algumas coisas — subir as escadas correndo, carregar mais de um pacote de compras de cada vez, ou ter energia para acompanhar os netos enquanto corriam pelo quintal — mas ela trocaria de bom grado todas essas coisas pela experiência que havia acumulado, e isso só era possível com a idade. O fato de poder olhar para seu passado e perceber que não mudaria muita coisa fazia com que o sono fosse bem melhor nos dias de hoje.

Além disso, a juventude tinha seus problemas. Ela se lembrava não apenas dos que tivera em sua própria vida, mas de ver seus filhos enfrentando as angústias da adolescência e a incerteza e o caos dos 20 anos. Embora dois deles estivessem agora na casa dos 30 e um deles quase lá, ela às vezes se questionava quando é que a maternidade deixaria de ser um trabalho de período integral.

Matt estava com 32, Amanda tinha 31, e Dan tinha acabado de fazer 29. Todos haviam chegado à faculdade, e ela tinha orgulho disso, já que algumas vezes duvidara que ao menos um deles conseguisse chegar lá. Eram honestos, bons e autossuficientes, e isso era praticamente tudo o que ela havia desejado para eles. Matt trabalhava como contador, Dan era o locutor esportivo do noticiário noturno de Greenville; os dois estavam casados e tinham suas próprias famílias. Ela se lembrava de ter se sentado próxima a eles, no Dia de Ação de Graças, para observá-los enquanto corriam atrás de seus filhos, sentindo-se estranhamente satisfeita com os rumos que a vida havia tomado para seus filhos.

Como sempre, as coisas foram um pouco mais complicadas para sua filha.

As crianças tinham 14, 13 e 11 anos quando Jack saíra de casa, e cada filho havia lidado com o divórcio de maneira diferente. Matt e Dan descarregaram sua agressividade em atividades físicas e aprontando de vez em quando na escola, mas Amanda fora a mais afetada. Como filha do meio espremida entre dois irmãos, sempre fora a mais sensível e precisaria ter o pai em casa durante sua adolescência, mesmo que fosse apenas para distraí-la dos olhares de preocupação de sua mãe. Ela começara a se vestir com o que Adrienne chamava de trapos, a sair com uma turma que ficava fora até tarde, e jurou que estava profundamente apaixonada por pelo menos uma dúzia de rapazes diferentes nos anos que se seguiram. Depois da escola, passava horas em seu quarto ouvindo música em um volume que fazia as paredes vibrarem, ignorando quando sua mãe a chamava para o jantar. Houve períodos em que ela mal falou com sua mãe ou com seus irmãos durante dias.

Levou alguns anos, mas Amanda acabou encontrando seu caminho, adaptando-se a um estilo de vida estranhamente parecido com o que

Adrienne tivera um dia: conheceu Brent na faculdade, casaram-se depois da formatura e tiveram dois filhos logo nos primeiros anos do casamento. Como tantos casais jovens, lutaram para driblar as dificuldades financeiras, mas Brent era muito mais prudente do que Jack jamais havia sido. Assim que o primeiro filho nasceu, ele adquiriu um seguro de vida por precaução, embora nenhum deles esperasse precisar dele durante muito, muito tempo.

Estavam errados.

Agora fazia oito meses que Brent havia morrido, vítima de um tipo violento de câncer testicular. Adrienne havia visto Amanda mergulhar em uma depressão profunda.

Ontem à tarde, ao deixar seus netos na casa da filha, depois de ter passado algum tempo com eles, viu as cortinas da casa fechadas, a luz da varanda ainda acesa, e Amanda sentada na sala; vestia um roupão, e tinha no rosto a mesma expressão vazia do dia do funeral.

Foi então que, parada ali, em pé, no meio da sala de Amanda, Adrienne soube que era hora de contar a sua filha sobre o passado.

Quatorze anos. Era o tempo que fazia.

Em todos esses anos, Adrienne tinha contado apenas para uma pessoa tudo o que acontecera, mas seu pai havia morrido com o segredo, incapaz de contar a alguém mesmo que quisesse.

Sua mãe havia falecido quando Adrienne tinha 35 anos e, apesar de terem um bom relacionamento, ela sempre fora mais próxima do pai. Ele era, assim pensava ainda, um dos dois homens que sempre a entenderam realmente; sentia falta dele agora que já não estava mais com ela. Sua vida havia sido muito parecida com a de tantos outros de sua geração: aprendeu uma profissão em vez de ir para a faculdade, e passou quarenta anos em uma fábrica de móveis trabalhando por um salário de operário que aumentava alguns centavos todo mês de janeiro. Usava um chapéu de feltro mesmo nos meses quentes do verão, levava seu almoço em uma marmita, e saía de casa todas as manhãs exatamente às 6h45 para fazer a pé os dois quilômetros e meio até o trabalho.

De noite, após o jantar, usava um colete de lã e camisa de mangas compridas. Suas calças enrugadas deixavam-no com uma aparência desalinhada, que se tornou ainda mais pronunciada com o passar dos anos, principalmente depois da morte de sua mulher. Gostava de se sentar na cadeira de balanço com a lâmpada amarela brilhando do lado, enquanto lia histórias de faroeste e livros a respeito da Segunda Guerra Mundial. Nos anos que antecederam os derrames, seus óculos antiquados, as sobrancelhas espessas e o rosto bastante enrugado faziam com que ele se parecesse mais com um professor aposentado do que com o operário de macacão que havia sido.

Havia uma tranquilidade em seu pai que sempre desejara emular. Ela sempre achou que ele teria dado um bom padre ou reverendo, e as pessoas que o encontravam pela primeira vez sempre saíam com a sensação de que ele estava em paz consigo mesmo e com o mundo. Ele era um ótimo ouvinte; com o queixo pousado na mão, nunca desviava o olhar da pessoa com quem estava falando, sua expressão refletia empatia e paciência, humor e tristeza. Adrienne desejou que ele estivesse ali agora para ajudar a neta; ele também perdera a esposa, e passara por momentos difíceis, por isso ela pensou que Amanda o ouviria, mesmo que fosse apenas porque ele sabia quando era difícil

Um mês atrás, quando Adrienne tentara falar gentilmente com a filha, Amanda se levantara da mesa sacudindo a cabeça irritada.

— Isso não tem nada a ver com o que aconteceu entre você e o papai — ela disse —, vocês não conseguiam resolver seus problemas, por isso se divorciaram. Mas eu amava Brent. E vou amá-lo pra sempre, mas eu o perdi. Você não sabe o que é ter de enfrentar uma coisa desse tipo.

Adrienne ficara calada, mas, quando Amanda saiu da sala, abaixou a cabeça e sussurrou uma única palavra.

— *Rodanthe*.

Embora Adrienne se sentisse solidária com sua filha, estava preocupada com os filhos de Amanda. Max tinha 6 anos e Greg, 4. Nos últimos oito meses Adrienne havia percebido mudanças perceptíveis na personalidade dos meninos. Os dois haviam se tornado extremamente retraídos e quietos. Nenhum deles tinha jogado futebol no outono, e, apesar de Max estar indo bem no jardim de infância, chorava todas as manhãs antes de ir para a escola. Greg tinha começado a molhar a cama de novo e perdia o controle diante da menor provocação. Algumas dessas mudanças eram resultado da perda do pai, Adrienne sabia, mas também era consequência da transformação pela qual a mãe passara desde a última primavera.

Por causa do seguro, Amanda não precisava trabalhar. Contudo, durante os primeiros meses após a morte de Brent, Adrienne passou praticamente todos os dias na casa da filha, mantendo as contas em dia e preparando refeições para as crianças, enquanto Amanda dormia e chorava em seu quarto. Ela abraçava a filha sempre que preciso, ouvia-a quando queria falar e forçava-a a sair pelo menos uma hora ou duas todos os dias, pois acreditava que o ar puro faria Amanda lembrar-se de que poderia recomeçar.

Adrienne começara a achar que sua filha estava melhorando. No começo do verão, voltara a sorrir, raramente, a princípio; depois com mais frequência. Arriscou ir até a cidade algumas vezes, levou as crianças para andar de patins, e aos poucos Adrienne começou a deixar de lado algumas das obrigações que assumira. Era importante, ela sabia, que Amanda assumisse a responsabilidade por sua vida novamente. Era possível encontrar conforto na rotina constante da vida, isso Adrienne tinha aprendido, por isso ela tinha esperança de que, atenuando sua presença na vida da filha, Amanda fosse obrigada a perceber isso também.

Em agosto, porém, no dia em que comemoraria o sétimo aniversário de casamento, Amanda abriu a porta do *closet* do dormitório principal, viu o pó acumulando nos ombros dos ternos de Brent, e sua melhora estancou de repente. Não foi exatamente uma regressão — ainda havia momentos em que ela parecia a pessoa que havia sido. Não estava deprimida nem feliz, nem agitada nem indolente, nem interessada nem chateada por qualquer coisa ao redor. Para Adrienne, parecia que Amanda havia se convencido de que, se recomeçasse a vida, as lembranças de Brent poderiam se apagar, o que sua filha havia decidido não permitir que acontecesse. Mas essa atitude não era justa para as crianças. Elas precisavam da orientação e do amor de Amanda, precisavam da sua atenção. Precisavam de que ela lhes dissesse que iria ficar tudo bem. Já tinham perdido um dos pais, e isso era muito difícil. Entretanto, ultimamente, Adrienne tinha a impressão de que as crianças haviam perdido também a mãe.

Sob a luz suave da cozinha, Adrienne olhou para seu relógio. Atendendo a um pedido seu, Dan havia levado Max e Greg ao cinema para que ela pudesse passar a noite com Amanda. Da mesma maneira que Adrienne, seus filhos também estavam preocupados com as crianças de Amanda. Eles não apenas tinham redobrado esforços para continuar presentes na vida dos meninos, como praticamente todas as conversas que haviam tido ultimamente com Adrienne começavam ou terminavam com a mesma pergunta: o que podemos fazer?

Hoje, quando Dan fizera a mesma pergunta de novo, Adrienne lhe garantira que iria falar com Amanda. Apesar do ceticismo de Dan — eles já não haviam tentado tantas vezes? —, esta noite, ela sabia, seria diferente.

Adrienne não tinha muitas ilusões quanto à opinião que seus filhos tinham a seu respeito. Sim, eles a amavam e a respeitavam como mãe, mas ela sabia que eles jamais a conheceriam de verdade. Aos olhos de seus filhos, ela era gentil, mas previsível, doce e estável, um ser amigável de outra época, que iria passar pela vida com sua visão ingênua de mundo, absolutamente incólume. Ela se adequava a essa imagem, é claro — as veias começando a aparecer nas mãos, uma figura mais convencional e pouco sinuosa —, mas, quando percebia que eles estavam olhando para ela com expressões que pretendiam diverti-la, às vezes tinha de se controlar para não cair na risada.

Parte do erro deles, ela sabia, provinha do seu desejo de vê-la sob determinado aspecto, uma imagem pré-fabricada que achavam aceitável para uma mulher da sua idade. Era mais fácil — e, francamente, mais confortável — pensar que sua mãe era mais calma que ousada, alguém meio devagar em vez de uma pessoa com experiências que poderiam surpreendê-los. E continuando a ser a mãe gentil, previsível, doce e estável que era, ela não tinha vontade nenhuma de fazê-los mudar de opinião.

Sabendo que Amanda chegaria a qualquer minuto, Adrienne foi até a geladeira pegar uma garrafa de *pinot grigio* para colocar na mesa. A casa havia esfriado desde o cair da tarde, então ela mexeu no termostato a caminho do quarto para aumentar a temperatura.

O quarto que havia dividido com Jack era seu agora, redecorado duas vezes desde o divórcio. Adrienne foi até a cama com quatro colunas que sempre quis ter desde que era jovem. Encostada na parede debaixo da cama havia uma caixa de papéis, e Adrienne colocou-a sobre o travesseiro ao seu lado.

Dentro estavam as coisas que ela havia guardado: o bilhete que ele havia deixado na pousada, uma foto que alguém havia tirado dele no consultório e a carta que ela recebera algumas semanas antes do Natal. Embaixo dessas coisas havia dois maços de papéis, cartas trocadas por eles, que prendiam uma concha que haviam encontrado uma vez na praia.

Adrienne deixou o bilhete de lado e puxou um envelope de um dos maços, lembrando-se de como havia se sentido quando o lera pela primeira vez, então passou a mão pela folha. Parecia mais fina e frágil, e embora a tinta tivesse ficado mais apagada com o correr dos anos desde que tinha sido escrita, as palavras ainda eram claras.

Querida Adrienne,

Nunca escrevi cartas muito bem, por isso espero que me perdoe se eu não conseguir me fazer entender com clareza.

Cheguei nesta manhã em cima de um burro, acredite se quiser, e descobri o lugar em que passaria meus dias durante algum tempo. Gostaria de poder lhe dizer que era melhor do que eu havia imaginado que seria, mas, sinceramente, não posso. A clínica não tem praticamente nada — remédios, equipamento e os leitos necessários —, mas falei com o diretor e acho que conseguirei resolver pelo menos uma parte do problema. Apesar de terem um gerador para fornecer eletricidade, não há telefones, por isso não vou poder ligar até ir para Esmeraldas. Fica a alguns dias de viagem, e a próxima entrega de suprimentos ainda vai demorar algumas semanas. Sinto muito por isso, mas acho que ambos suspeitávamos que isso poderia acontecer.

Ainda não encontrei Mark. Ele está em uma clínica de difícil acesso nas montanhas e só vai voltar bem à noite. Eu vou contar como foi, mas não estou esperando muita coisa a princípio. Como você disse, acho que precisamos passar mais tempo juntos para nos conhecermos antes de podermos resolver os problemas que temos um com o outro.

Não dá nem pra começar a contar quantos pacientes atendi hoje. Mais de cem, eu acho. Há muito tempo eu não via pacientes desse jeito, com esse tipo de problema, mas a enfermeira ajudou bastante. até quando eu parecia perdido. Acho que ela se sentia agradecida pelo simples fato de eu estar ali.

Tenho pensado muito em você desde que parti, imaginando por que a jornada que comecei parecia passar por você. Sei que minha jornada ainda não chegou ao fim, e que a vida é um caminho sinuoso, mas só posso esperar que ela dê uma volta em direção ao lugar a que pertenço.

É isso o que estou pensando agora. Eu pertenço a você. Enquanto estava dirigindo, e de novo quando o avião estava no ar, imaginei que quando chegasse a Quito, eu veria você no meio da multidão acenando para mim. Eu sabia que isso seria impossível, mas, por algum motivo, isso fez com que deixar você fosse um pouco mais fácil. Era quase como se parte de você tivesse vindo comigo.

Quero acreditar que isso seja verdade. Antes de nos conhecermos, eu não poderia estar mais perdido; mas mesmo assim você viu em mim alguma coisa que novamente pudesse dar direção a minha vida. Nós dois sabemos o motivo pelo qual fui para Rodanthe, mas não consigo parar de pensar que havia forças maiores em funcionamento. Fui lá para encerrar um capítulo de minha vida, esperando que isso me ajudasse a encontrar meu caminho. Mas era você, eu acho, que eu estava procurando todo esse tempo. E é você que está comigo agora.

Nós dois sabemos que vou ter de ficar por aqui durante algum tempo. Não tenho certeza sobre quando vou voltar e, apesar de não fazer muito tempo, percebo que nunca senti tanta saudade de alguém como sinto de você. Parte de mim deseja imensamente entrar em um avião e ver você, mas se isso for tão verdadeiro quanto acho que é, tenho certeza de que vamos conseguir. Eu vou voltar, prometo. Durante o pouco tempo que passamos juntos, tivemos o que a maioria das pessoas apenas sonha, e estou contando os dias até poder ver você de novo. Nunca se esqueça do quanto eu te amo.

Paul

Quando acabou de ler, Adrienne colocou a carta de lado e pegou a concha que aparecera no caminho deles muito tempo atrás em uma tarde de domingo. Ela ainda recendia a sal, à eternidade, ao odor primordial da própria vida. Tinha um tamanho médio, formato perfeito, sem rachaduras, algo quase impossível de encontrar na arrebentação áspera da região de Outer Banks depois de uma tempestade. Um presságio, ela pensou então. Lembrou-se de que a aproximara do ouvido dizendo que podia perceber o barulho do oceano. Paul achou graça daquilo e disse que ela estava ouvindo o oceano. Ele colocou os braços em volta dela e então sussurrou:

— A maré está alta, ou você não percebeu?

Adrienne remexeu nas outras coisas e pegou o que precisava para sua conversa com Amanda. Desejou ter mais tempo para olhar o resto. Talvez mais tarde, pensou. Colocou as outras coisas na última gaveta, sabendo que Amanda não precisava vê-las. Pegou a caixa, ficou em pé e alisou a saia.

Sua filha chegaria logo.

Capítulo dois

Adrienne estava na cozinha quando ouviu a porta da frente abrir e, em seguida, fechar; pouco depois, Amanda estava entrando pela sala.

— Mãe?

Adrienne colocou a caixa na bancada da cozinha.

— Estou aqui! — falou em voz alta.

Quando Amanda empurrou a porta de vaivém e entrou na cozinha, deparou com a mãe sentada à mesa, com uma garrafa de vinho fechada a sua frente.

— O que está acontecendo? — Amanda perguntou.

Adrienne sorriu, pensando em como era bonita a sua filha. Com cabelo castanho-claro e olhos castanhos que harmonizavam com as maçãs do rosto salientes, ela sempre fora adorável. Apesar de ser uns dois centímetros mais baixa que Adrienne, ela se movimentava com a postura de uma bailarina e parecia mais alta. Era magra, também, um pouco magra demais na opinião de Adrienne, mas havia aprendido a não fazer comentários sobre isso.

— Eu queria conversar com você — Adrienne falou.

— Sobre o quê?

Em vez de responder, Adrienne apontou para a mesa.

— Acho que é melhor você se sentar.

Amanda se juntou a ela na mesa. Quando se aproximou, parecia esgotada e Adrienne pegou sua mão. Ela a apertou, sem dizer nada, depois soltou-a relutante quando se virou na direção da janela. Durante um longo momento não houve qualquer som na cozinha.

— Mãe? — Amanda perguntou, finalmente —, você está bem?

Adrienne fechou os olhos e fez que sim com a cabeça.

— Estou bem. Só estava pensando por onde começar.

Amanda enrijeceu ligeiramente.

— Vamos falar a meu respeito de novo? Porque se for isso...

Adrienne cortou-a balançando a cabeça.

— Não, vamos falar a meu respeito — ela disse —, vou lhe contar uma coisa que aconteceu catorze anos atrás.

Amanda ergueu a cabeça e, no ambiente familiar da pequena cozinha, Adrienne começou sua história.

Capítulo três

RODANTHE, 1988

O céu da manhã estava cinza quando Paul Flanner saiu do escritório do advogado. Puxando o zíper da jaqueta, ele atravessou a neblina em direção ao seu Toyota Camry alugado e sentou-se ao volante, pensando que a vida que havia levado no último quarto de século tinha acabado formalmente com essa assinatura no contrato de venda.

Era no começo de janeiro de 1988, e no último mês ele havia vendido os dois carros, seu consultório médico e, agora, neste último encontro com seu advogado, sua casa.

Ele não sabia como se sentiria em relação à venda da casa, mas ao virar a chave, percebeu que não sentia muita coisa, além de uma vaga sensação de conclusão. Mais cedo naquela manhã, ele havia caminhado pela casa, por cada um dos ambientes, uma última vez, esperando lembrar-se de cenas da sua vida. Pensou que recordaria a árvore de Natal e se lembraria de como seu filho ficara agitado ao descer as escadas de pijama e ver os presentes trazidos pelo Papai Noel. Tentou recordar os odores da cozinha no Dia de

Ação de Graças, nas tardes chuvosas de domingo quando Martha fazia um guisado, ou os sons das vozes que emanavam da sala onde ele e sua mulher haviam dado tantas festas.

Mas enquanto passava de um lugar para outro, parando um instante aqui e ali para fechar os olhos, nenhuma lembrança adquiriu vida. A casa, ele percebeu, nada mais era do que uma concha vazia, e mais uma vez ele ficou pensando por que havia vivido ali durante tanto tempo.

Paul saiu do estacionamento, seguiu o fluxo do trânsito e pegou a direção da interestadual, evitando o congestionamento das pessoas que vinham do subúrbio para o trabalho. Vinte minutos depois, pegou a rodovia 70, uma estrada de duas pistas que ia para o Sudeste, em direção à costa da Carolina do Norte. No banco de trás, havia duas grandes mochilas. Sua passagem de avião e o passaporte estavam ao seu lado, na pochete de couro no banco da frente. No porta-malas havia um *kit* médico e vários suprimentos que lhe haviam pedido para trazer.

O céu parecia uma pintura em cinza e branco, e o inverno havia chegado pra valer. Havia chovido naquela manhã durante uma hora, e o vento norte fazia com que parecesse mais frio do que estava. A estrada não estava congestionada nem vazia, e Paul dirigiu em uma velocidade pouco acima do limite permitido, deixando seus pensamentos voltarem ao que havia feito naquela manhã.

Britt Blackerby, seu advogado, havia feito uma última tentativa para demovê-lo daquela ideia. Eles eram amigos há anos; seis meses antes, quando Paul lhe contou pela primeira vez tudo o que pretendia fazer, Britt achou que estivesse brincando e riu em voz alta, dizendo:

— Quero só ver! Mas quando olhou para o rosto de seu amigo do outro lado da mesa, percebeu que ele estava falando sério.

Paul havia se preparado para esse encontro, é claro. Era um hábito que não conseguia abandonar; então, colocou três folhas de papel cuidadosamente datilografas sobre a mesa, indicando o que considerava serem preços justos e suas ideias específicas a respeito dos contratos propostos. Britt olhou fixamente para os papéis durante algum tempo antes de voltar a erguer os olhos.

— É por causa da Martha? — Britt havia perguntado.

— Não — ele respondera — apenas uma coisa que preciso fazer.

No carro, Paul ligou o aquecedor e manteve a mão diante da saída, deixando que o ar aquecesse seus dedos. Olhando rapidamente pelo espelho retrovisor, viu os arranha-céus de Raleigh e imaginou quando os veria de novo.

Ele tinha vendido a casa para um jovem casal — o marido era um executivo da Glaxo, a esposa era psicóloga — que aparecera para ver a casa no primeiro dia em que fora anunciada. Eles haviam voltado no dia seguinte e fizeram uma proposta poucas horas depois dessa visita. Foram o primeiro, e único, casal a ter entrado na casa.

Paul não ficou surpreso. Estava lá na segunda vez em que apareceram, e eles passaram uma hora examinando todos os aspectos da casa. Apesar das tentativas do casal para esconder seus sentimentos, Paul sabia que iriam comprá-la assim que os conheceu. Então, mostrou a eles o funcionamento do sistema de segurança e como abrir o portão que separava a vizinhança do resto da comunidade; ofereceu o nome e o cartão do paisagista que havia contratado, assim como da companhia que fazia a manutenção da piscina, com a qual ainda tinha um contrato. Explicou que o mármore do vestíbulo tinha sido importado da Itália e que as janelas de vitrais haviam sido criadas por um artesão de Genebra. A cozinha havia sido reformada apenas dois anos antes; a geladeira Sub-Zero e o fogão Viking ainda eram considerados obras de arte; dissera que cozinhar para 20 ou mais não seria problema. Ele lhes mostrou a suíte principal e o banheiro, depois os outros quartos, observando como o olhar deles se detivera nas molduras feitas à mão e nas paredes texturizadas. No térreo, apontou para os móveis feitos sob encomenda, o lustre de cristal, e deixou que examinassem o tapete persa sob a mesa de cerejeira na sala de jantar. Na biblioteca, Paul ficou olhando enquanto o marido passava os dedos sobre o revestimento de madeira e depois olhava para a luminária Tiffany no canto da escrivaninha.

— E o preço — disse o marido — inclui toda a mobília?

Paul respondeu afirmativamente com a cabeça. Quando saíram da biblioteca, ele conseguiu ouvir os cochichos cheios de excitação enquanto ia atrás deles.

Quase ao fim de uma hora, quando eles estavam perto da porta preparando-se para ir embora, fizeram a pergunta que Paul já esperava.

— Por que está vendendo?

Paul se lembrou de ter olhado para o marido, sabendo que havia algo além de simples curiosidade na pergunta. Parecia haver uma indireta em relação ao escândalo que era o que Paul estava fazendo: o preço, ele sabia, era extremamente baixo, mesmo que a casa estivesse sendo vendida vazia.

Paul poderia ter dito que, agora que estava sozinho, não precisava mais de uma casa daquele tamanho. Ou que a casa era mais apropriada para alguém mais jovem, que não se incomodasse com as escadas. Ou que ele estava planejando comprar ou construir uma casa diferente e queria uma decoração diferente. Ou que pensava em se aposentar, e tudo aquilo dava muito trabalho para cuidar.

Mas nenhuma dessas razões era verdadeira. Em vez de responder, ele olhou o marido nos olhos.

— Por que vocês querem comprar?

Sua voz era amigável, e o marido demorou um instante para olhar para a esposa. Ela era bonita, uma morena baixinha quase da mesma idade que o marido, uns trinta e poucos anos. O marido também era bem-apessoado, com a postura bastante ereta, obviamente um sujeito muito bem-sucedido que não sabia o que era falta de confiança. Por um instante, eles pareceram não ter entendido o que ele queria dizer.

— É o tipo de casa com que sempre sonhamos — a esposa disse finalmente.

Paul acenou com a cabeça. Sim, ele pensou, eu me lembro de quando me sentia assim também. Até seis meses atrás, pelo menos.

— Então espero que os faça felizes — ele disse.

Pouco depois o casal se virou para sair, e Paul observou-os enquanto se dirigiam para o carro. Acenou para eles antes de fechar a porta, mas depois sentiu um aperto na garganta. Ele se deu conta de que, ao olhar para o marido, havia se lembrado de como se sentia ao olhar para si mesmo no espelho. E, por algum motivo que não conseguia explicar, Paul percebeu subitamente que havia lágrimas em seus olhos.

A estrada passou por Smithfield, Goldsboro e Kinston, pequenas cidades separadas por cinquenta quilômetros de campos de algodão e tabaco. Ele havia crescido nesta parte do mundo, em uma pequena fazenda perto de Williamston, e estava familiarizado com as referências típicas da região. Passou por velhos celeiros de tabaco e casas de fazenda; viu ramos de visgo no alto dos galhos secos dos carvalhos ao lado da estrada. Pinheiros teda, com seus ramos longos e estreitos, separavam uma propriedade da outra.

Em New Bern, graciosa cidade localizada na confluência dos rios Neuse e Trent, parou para almoçar. Comprou um sanduíche e café em uma *delicatessen* no bairro histórico e, apesar do frio, sentou-se em um banco perto do

Sheraton com vista para a marina. Iates e barcos a vela estavam atracados nas docas, oscilando levemente ao sabor da brisa.

A respiração de Paul saía em pequenas nuvens. Assim que acabou o sanduíche, ele tirou a tampa do copo de café. Observando o vapor sair, ficou pensando sobre a série de acontecimentos que o haviam levado até ali.

Havia sido um longo caminho, ele refletiu. Sua mãe havia morrido no parto, e ele, como filho único de um lavrador, não teve uma vida fácil. Em vez de jogar beisebol com os amigos e pescar achigãs e bagres, passava os dias capinando e tirando os vermes das folhas de tabaco durante doze horas por dia, debaixo de um sol escaldante que deixava suas costas com um tom marrom dourado permanente. Como todas as crianças, às vezes ele reclamava, mas na maior parte do tempo aceitava o trabalho. Ele sabia que seu pai, um homem bom e paciente, precisava de sua ajuda. Mas, como seu próprio pai, raramente falava, a menos que tivesse algum motivo. Durante quase todo o tempo, sua pequena casa oferecia a quietude normalmente encontrada na igreja. Em vez de perguntas mecânicas sobre como estava indo a escola e o que estava acontecendo nos campos, os jantares eram pontuados apenas pelos sons dos talheres batendo nos pratos. Depois de lavar a louça, seu pai se transferia para a sala e lia com atenção relatórios sobre plantações, enquanto Paul mergulhava nos livros. Eles não tinham televisão e raramente ligavam o rádio, exceto para ouvir informações a respeito do tempo.

Eram pobres, e, embora sempre tivessem o bastante para comer e um quarto quente para dormir, Paul às vezes ficava envergonhado ou por causa das roupas que usava, ou pelo fato de nunca ter dinheiro suficiente para ir à mercearia comprar um pedaço de torta ou um refrigerante como seus amigos. De vez em quando ouvia comentários maliciosos a respeito disso, mas, em vez de brigar, dedicava-se aos estudos, como se tentasse provar que aquilo não tinha importância. Ano após ano, levou para casa as melhores notas, entretanto, apesar de seu pai ficar orgulhoso com o resultado, havia uma aura de melancolia que se abatia sobre ele todas as vezes que olhava os boletins do filho, como se soubesse que aquilo significava que Paul um dia iria embora da fazenda e não voltaria.

Os hábitos de trabalho forjados nos campos estenderam-se para outras áreas da vida de Paul. Ele não apenas se formou como melhor aluno da classe como também se tornou excelente atleta. Quando foi cortado do time de futebol enquanto ainda era calouro, o treinador recomendou que ele tentasse a corrida *cross-country*. Ao perceber que o esforço, e não a genética, era o que normalmente separava os vencedores dos perdedores em corridas, começou a levantar às cinco da manhã, pois assim ele poderia forçar dois treinos por dia. Funcionou; ele frequentou a Duke University com bolsa integral como atleta, e foi seu melhor corredor durante quatro anos, além da excelência que mostrava em sala de aula. Nos quatro anos que lá passou, relaxou a vigilância uma vez e quase morreu por causa disso, mas nunca mais deixou que isso acontecesse de novo. Ele fez especialização em química e biologia e graduou-se *summa cum laude*. Nesse ano também se tornou representante dos Estados Unidos, depois de terminar em terceiro lugar num encontro nacional de *cross-country*.

Após a corrida, ele deu a medalha para seu pai e disse-lhe que tinha feito tudo aquilo por ele.

— Não — seu pai respondeu —, você correu por você. Só espero que esteja correndo para alguma coisa e não de alguma coisa.

Naquela noite, Paul ficou olhando para o teto quando se deitou na cama, tentando entender o que seu pai queria dizer. Na sua cabeça, ele estava correndo para algo, para tudo. Uma vida melhor. Estabilidade financeira. Uma forma de ajudar seu pai. Respeito. Para livrar-se das preocupações. Felicidade.

Em fevereiro do seu último ano, depois de saber que havia sido aceito na escola de medicina de Vanderbilt, foi visitar o pai e contou a boa notícia. O pai disse-lhe que estava feliz por ele. Mas, mais tarde naquela noite, muito depois da hora em que deveria estar dormindo, Paul olhou pela janela e o viu, uma figura solitária perto da cerca, olhando fixamente para o campo.

Três semanas depois, o pai morreu de um ataque do coração enquanto lavrava a terra preparando-a para a primavera.

Paul ficou arrasado com a perda, mas, em vez de dedicar algum tempo ao luto, evitou as lembranças entregando-se ainda mais ao trabalho. Matriculou-se na Vanderbilt cedo, frequentou o curso do verão e três cursos para adiantar seus estudos, e no outono acrescentou cursos extras a uma programação já completa. Depois disso, sua vida se tornou um borrão. Ele ia para a aula, fazia o trabalho de laboratório e estudava até as primeiras horas da manhã. Corria oito quilômetros por dia e sempre cronometrava suas corridas, tentando melhorar a cada ano. Evitava boates e bares; ignorava o que acontecia nas equipes de esportes da escola. Comprou uma televisão por impulso, mas nunca a tirou da caixa até que a vendeu um ano depois. Embora tímido com as garotas, foi apresentado a Martha, uma loira doce da Georgia que estava trabalhando na biblioteca da escola de medicina. Como ele nunca a convidasse para sair, ela decidiu assumir a incumbência. Apesar de preocupada com o ritmo frenético que ele se impunha, ela aceitou seu pedido de casamento e dez meses depois eles subiram ao altar. Com a aproximação das provas finais, não havia tempo para a lua de mel, mas ele prometera que iriam para um lugar interessante quando terminassem as aulas. Isso nunca iria acontecer. Mark, filho deles, nasceu um ano depois, e durante os primeiros dois anos da vida do filho, Paul nunca trocou uma fralda ou colocou o menino para dormir.

Em vez disso, ficava estudando na mesa da cozinha, encarando diagramas de fisiologia humana ou estudando equações químicas, fazendo anotações e passando em primeiro lugar em todos os exames. Durante três anos, passou como o primeiro da classe, e se mudou com a família para Baltimore para fazer residência em cirurgia no Johns Hopkins.

Cirurgia, ele já sabia então, era sua vocação. Muitas especialidades exigem uma grande interação humana e muito contato pessoal; Paul não era particularmente bom em nenhuma dessas coisas. Mas a cirurgia era diferente; os pacientes não estavam tão interessados na capacidade de comunicação quanto estavam na habilidade, e Paul possuía não apenas confiança para deixá-los tranquilos antes da operação como também a habilidade para fazer o que fosse necessário. Ele brilhou nesse ambiente. Nos últimos dois anos de sua residência, trabalhou noventa horas por semana e dormiu quatro horas por noite, mas, estranhamente, não mostrou sinais de fadiga.

Depois da residência, concluiu o trabalho para uma bolsa que recebera na área de cirurgia crânio-facial e mudou com a família para Raleigh, onde montou consultório com outro cirurgião no momento em que começava um crescimento populacional. Como únicos especialistas da área naquela comunidade, o consultório cresceu. Com 34 anos, ele conseguiu quitar todas as dívidas com a escola de medicina. Com 36, estava ligado a todos os grandes hospitais da região, mas a maior parte de seu trabalho era realizada no Centro Médico da Universidade da Carolina do Norte. Aí, participou de um estudo clínico conjunto com médicos da Clínica Mayo sobre neurofibromas. Um ano depois, teve um artigo sobre fenda palatina publicado no *New England Journal of Medicine*. Um outro artigo, sobre hemangiomas, quatro meses depois, ajudou a redefinir os procedimentos cirúrgicos em crianças nessa área. Sua reputação expandia-se, e, depois de operar com sucesso a filha do Senador Norton, que havia ficado desfigurada depois de um acidente de carro, apareceu na primeira página do *The Wall Street Journal*.

Além do trabalho de reconstrução, ele foi um dos primeiros médicos da Carolina do Norte a expandir sua prática no momento em que a cirurgia plástica ganhava força. O consultório explodiu, sua renda multiplicou e ele começou a acumular coisas. Comprou uma BMW, depois uma Mercedes, depois um Porsche, depois outra Mercedes. Junto com Martha construiu a casa de seus sonhos. Comprou ações, títulos e papéis de uma dezena de fundos mútuos. Quando percebeu que não conseguia acompanhar os mecanismos intricados do mercado, contratou um administrador financeiro. Depois disso, seu dinheiro começou a duplicar a cada quatro anos. Então, quando tinha mais do que precisaria pelo resto da vida, começou a triplicar.

E ele ainda continuava a trabalhar. Programava cirurgias não apenas durante os dias da semana, mas também aos sábados. Passava as tardes de domingo no consultório. Quando estava com 45 anos, esse ritmo acabou esgotando seu sócio, que saiu para trabalhar com outro grupo de médicos.

Nos primeiros anos após o nascimento de Mark, Martha sempre falava em ter outro filho. Com o tempo, ela acabou deixando esse assunto de lado. Apesar de obrigá-lo a tirar férias, ele o fazia contra a vontade; no final ela passou a visitar seus pais com Mark, deixando Paul em casa. Paul encontrou tempo para ir aos eventos mais importantes da vida do filho, aquelas coisas que aconteciam uma ou duas vezes por ano, mas perdeu quase todo o resto.

Ele se convenceu de que estava trabalhando para a família. Ou para Martha, que havia batalhado ao seu lado nos primeiros anos. Ou pela memória de seu pai. Ou pelo futuro de Mark. Mas, lá no fundo, sabia que estava fazendo aquilo para si mesmo.

Se agora pudesse apontar seu maior arrependimento em relação àqueles anos, seria a respeito de seu filho; mas apesar da ausência de Paul em sua vida, Mark o surpreendeu quando decidiu tornar-se médico. Depois que Mark foi aceito na escola de medicina, Paul espalhou a notícia pelos corredores do hospital, satisfeito com a ideia de que seu filho se juntaria a ele na profissão. Agora, ele pensou, teriam mais tempo juntos. Lembrava-se de ter levado Mark para almoçar com a esperança de convencê-lo a se tornar um cirurgião. Mark simplesmente sacudiu a cabeça.

— Essa é a sua vida — Mark lhe disse —, e não é uma vida que eu queira de forma nenhuma. Falando francamente, sinto pena de você.

Aquelas palavras feriram-no. Eles discutiram. Mark fez acusações amargas, Paul ficou furioso, e Mark acabou saindo do restaurante enfurecido. Paul recusou-se a falar com ele durante as semanas que se seguiram, e Mark não fez qualquer tentativa para consertar a situação. As semanas se transformaram em meses, depois em anos. Apesar de Mark continuar a ter o relacionamento carinhoso que mantinha com a mãe, evitava aparecer em casa quando sabia que o pai estaria por lá.

Paul enfrentou a desavença com o filho da única maneira que conhecia. Sua carga de trabalho permaneceu a mesma, continuou a correr os oito quilômetros por dia; pelas manhãs estudava o caderno de finanças do jornal. Mas ele via a tristeza nos olhos de Martha, e havia momentos, especialmente no final da noite, em que ele ficava pensando em como poderia consertar o rompimento com seu filho. Uma parte dele sentia vontade de pegar o telefone e ligar, mas nunca conseguia encontrar forças para fazer isso. Mark, ele soube por intermédio de Martha, ia muito bem sem a ajuda dele. Em vez de tornar-se cirurgião, tornou-se clínico geral, e depois de vários meses desenvolvendo as habilidades de que necessitava, deixou o país para trabalhar como voluntário de uma organização de ajuda internacional. Embora fosse uma atitude nobre, Paul não pôde evitar pensar que ele havia feito aquilo para ficar o mais longe possível de seu pai.

Duas semanas depois de Mark ter ido embora, Martha deu entrada nos papéis do divórcio.

Se as palavras de Mark o haviam deixado zangado, as palavras de Martha deixaram-no atônito. Ele começou tentando dissuadi-la, mas Martha interrompeu-o com delicadeza.

— Você vai mesmo sentir minha falta? Nós mal nos conhecemos agora — ela disse.

— Eu posso mudar — ele falou.

Martha sorriu.

— Sei que pode. E deveria. Mas deveria fazer isso porque quer, não porque acha que eu quero.

Paul passou as semanas seguintes atordoado, e um mês depois, assim que concluiu uma cirurgia de rotina, Jill Torrelson, de 62 anos de idade, da cidade de Rodanthe, Carolina do Norte, morreu na sala de recuperação.

Fora esse acontecimento terrível, logo após os outros, ele sabia, que o tinha levado a seguir o caminho que trilhava agora.

Depois de terminar seu café, Paul voltou para o carro e pegou a estrada de novo. Em quarenta e cinco minutos chegou a Morehead City. Cruzou a ponte para Beaufort, seguiu pela curvas, depois seguiu para leste, em direção a Cedar Point.

Havia uma beleza pacata nas terras baixas da costa, e ele reduziu a velocidade do carro, apreciando a paisagem. A vida, ele sabia, era diferente por aqueles lados. Continuou dirigindo, maravilhado com as pessoas que vinham em seus carros no sentido oposto e que acenavam para ele. Impressionou-o também o grupo de homens idosos, sentados em um banco junto a um posto de gasolina, que pareciam não ter nada melhor para fazer do que ficar vendo os carros passarem.

No meio da tarde, pegou a balsa para Ocracoke, uma cidadezinha no extremo sudeste da região de Outer Banks. Havia apenas outros quatro carros na balsa, e na viagem de duas horas, conversou informalmente com os outros passageiros. Passou a noite em um motel em Ocracoke, levantou quando a bola branca de luz ergueu-se sobre as águas, tomou café bem cedo, e depois passou as horas seguintes passeando a pé por aquela cidadezinha simples, vendo as pessoas prepararem suas casas para a tempestade que estava se formando na costa.

Quando finalmente ficou pronto, jogou a mochila no carro e começou a viagem em direção ao norte, para o lugar aonde precisava ir.

A região de Outer Banks, ele pensou, era estranha e ao mesmo tempo mística. Com o capim-navalha cobrindo as dunas ondulantes e os carvalhos marítimos sempre curvados ao sabor da brisa incessante, era um lugar diferente de qualquer outro. As ilhas já haviam tido ligação com o continente. Mas depois da última idade do gelo, o mar havia coberto a área a oeste, formando o Pamlico Sound. Até os anos de 1950, não havia uma única estrada nesse grupo de ilhas, e as pessoas tinham de dirigir pela praia para chegar até as casas que ficavam além das dunas. Entretanto, usar a praia como guia de acesso fazia parte da cultura e, enquanto dirigia, podia ver as marcas dos pneus perto da beirada da água.

O céu estava aberto em alguns pontos, e, embora as nuvens corressem nervosamente em direção ao horizonte, o sol às vezes se insinuava, cobrindo a terra com uma intensa luminosidade branca. Acima do barulho do motor, podia ouvir a violência do oceano.

Nessa época do ano, a região de Outer Banks estava praticamente vazia, e ele tinha toda a estrada só para ele. Na solidão, seus pensamentos voltaram para Martha.

O processo do divórcio encerrara-se apenas alguns meses antes, mas tinha sido amigável. Ele sabia que Martha estava se encontrando com alguém, e suspeitava que esses encontros estavam ocorrendo mesmo antes de terem se separado, mas isso não tinha importância. Atualmente, nada parecia ter importância.

Paul lembrava-se de ter reduzido suas atividades quando ela foi embora, imaginando que precisava de tempo para refletir sobre as coisas. Mas, alguns meses depois, em vez retomar a rotina costumeira, reduziu-a ainda mais. Ele ainda corria regularmente, mas descobriu que não tinha mais qualquer interesse em ler as páginas de economia pela manhã. Até onde conseguia lembrar, ele sempre precisara de apenas seis horas de sono por noite; mas, estranhamente, quanto mais reduzia o ritmo da vida que levava, mais horas parecia precisar para se sentir descansado.

Também ocorreram outras mudanças, inclusive físicas. Pela primeira vez em anos, Paul sentiu os músculos dos ombros relaxados. As linhas do rosto, que se haviam tornado profundas com o correr dos anos, ainda eram proeminentes, mas a intensidade que havia visto uma vez em sua imagem refletida fora substituída por uma espécie de melancolia abatida. E apesar de ser provavelmente apenas fruto da sua imaginação, parecia que seu cabelo finalmente havia parado de ficar grisalho.

Uma vez, ele imaginara que tinha tudo. Havia corrido tanto, tinha chegado ao topo do sucesso; mas agora, percebia que nunca seguira o conselho de seu pai. Passara toda a sua vida correndo de alguma coisa, não em direção a alguma coisa, e no seu coração, ele sabia, tudo havia sido em vão.

Estava com 54 anos e sozinho no mundo e, ao olhar para o imenso asfalto vazio que se abria à sua frente, ele não conseguiu deixar de perguntar a si mesmo por que havia corrido tanto.

Sabendo que estava perto agora, preparou-se para a última etapa de sua viagem. Iria ficar em um hotelzinho de beira de estrada. Quando se aproximou dos arredores de Rodanthe, fez uma rápida avaliação do lugar. O centro da cidade, se é que se podia chamá-lo por esse nome, era composto por vários estabelecimentos comerciais que ofereciam praticamente tudo. O armazém geral não só vendia computadores e equipamento de pesca bem como alimentos; o posto de gasolina vendia pneus e peças de automóveis e também oferecia serviços mecânicos.

Ele não tinha motivos para pedir qualquer informação; poucos minutos depois saiu da estrada e pegou um pequeno caminho de cascalho, pensando que a pousada em Rodanthe era mais charmosa do que havia imaginado. Era uma velha construção vitoriana pintada de branco com persianas em preto e uma varanda hospitaleira. Nas balaustradas, vasos de amores-perfeitos cheios de flores e uma bandeira americana balançando ao vento.

Pegou seu equipamento e jogou as malas sobre o ombro, depois subiu os degraus e entrou. O piso era de miolo de pinho, riscado por anos de pisadas cheias de areia, e sem a formalidade que havia em sua casa. À esquerda, havia uma sala de estar aconchegante, iluminada por duas grandes janelas que emolduravam a lareira. Ele sentiu cheiro de café fresco e então viu que haviam colocado uma travessa com *cookies* para recebê-lo. À direita, imaginou que encontraria o proprietário e seguiu naquela direção.

Apesar de ver uma pequena mesa onde supostamente deveria registrar-se, não havia ninguém ali. No canto, viu as chaves dos quartos; os chaveiros eram pequenos faróis. Ao aproximar-se da mesa, tocou a campainha, solicitando atendimento.

Esperou, depois tocou novamente, e desta vez ele ouviu o que parecia ser um grito abafado que vinha de algum lugar nos fundos da casa. Deixando seu equipamento, contornou a mesa e empurrou a porta vaivém que dava para a cozinha. Sobre o balcão havia três pacotes de compras intocados.

A porta dos fundos estava aberta, apontando-lhe aquela direção; a varanda rangeu sob seus pés quando ele saiu. À esquerda, viu algumas cadeiras de balanço e uma pequena mesa entre elas; à direita, encontrou a causa do barulho.

Ela estava parada no canto, admirando o oceano. Como ele, estava usando jeans surrados, mas estava coberta por um grosso suéter de lã de gola alta. Seu cabelo castanho-claro estava preso, com alguns fios soltos balançando com o vento. Ele a observou quando ela se virou, assustada com o barulho de suas botas na varanda. Atrás dela, um bando de andorinhas do mar voando, e um bule de café apoiado na balaustrada.

Paul desviou o olhar, mas seus olhos logo voltaram para ela. Embora estivesse chorando, ele podia ver que era bonita, mas havia algo na maneira triste como ela se mexeu que o fez perceber que ela não tinha consciência disso. E ele sempre pensaria, ao recordar aquele momento, que era exatamente isso o que a havia tornado ainda mais atraente.

Capítulo quatro

Amanda olhou diretamente para sua mãe.

Adrienne havia feito uma pausa e olhava para a janela de novo. A chuva havia parado; além do vidro da janela, o céu estava cheio de sombras. No silêncio, Amanda podia ouvir o barulho constante do motor da geladeira.

— Por que está me contando isso, mamãe?

— Porque acho que você precisa ouvir.

— Mas por quê? Quer dizer, quem foi ele?

Em vez de responder, Adrienne alcançou a garrafa de vinho. Com gestos deliberados, abriu-a. Depois de servir-se um copo, fez o mesmo para a filha.

— Você pode precisar disso — ela disse.

— Mãe?

Adrienne empurrou o copo por cima da mesa.

— Você se lembra de quando fui para Rodanthe? Quando Jean me perguntou se eu poderia tomar conta da pousada?

Levou um minuto até cair a ficha.

— Você está falando de quando eu estava no colegial?

— Isso.

Quando Adrienne recomeçou, Amanda se deu conta de que procurou seu copo de vinho, pensando o que significava tudo aquilo.

Capítulo cinco

Parada perto da balaustrada da varanda dos fundos da pousada em uma melancólica tarde de quinta-feira, Adrienne esquentava as mãos com a xícara de café quente enquanto olhava para o oceano, observando que ele estava mais agitado do que uma hora atrás. A água havia adquirido um tom de ferro, como o casco de um velho navio de guerra, e ela podia ver as ondas de cristas espumosas estendendo-se no horizonte.

Uma parte dela preferia não ter vindo. Estava tomando conta da pousada para uma amiga e tinha a esperança de que aquilo representasse uma espécie de pausa, mas agora estava mais parecendo um equívoco. Em primeiro lugar, o tempo não parecia disposto a cooperar — durante todo o dia o rádio vinha avisando sobre a tempestade que se aproximava — e ela não estava muito animada com a possibilidade de ficar sem luz ou de ter de ficar trancada durante alguns dias. Mais do que isso, entretanto, apesar de toda a cólera dos céus, a praia lhe trazia lembranças de muitas férias em família, dias gloriosos em que ela estava em paz com o mundo.

Durante muito tempo, havia se considerado afortunada. Tinha conhecido Jack quando era estudante; ele estava no primeiro ano da faculdade de direito. Naquela época, eles eram considerados o casal perfeito — ele era alto e magro, com cabelo preto encaracolado; ela era morena de olhos azuis, pouco menor do que era agora. A foto do casamento tinha sido colocada com muita visibilidade na sala de estar da casa, logo acima da lareira. Seu primeiro filho nasceu quando ela tinha 28 anos e tiveram mais dois nos três anos seguintes. Como tantas outras mulheres, ela teve problemas para perder todo o peso que havia ganhado, mas esforçou-se, e apesar de nunca ter conseguido voltar ao que era antes, comparada com a maioria das mulheres de sua idade com filhos, ela achava que estava muito bem.

E estava feliz. Adorava cozinhar, mantinha a casa brilhando, a família frequentava a igreja, e ela dava o melhor de si para manter uma vida social ativa para ela e para Jack. Quando as crianças começaram a ir para a escola, ofereceu-se para ajudar como voluntária em suas salas de aula, frequentou reuniões da Associação de Pais e Mestres, trabalhou em sua escola dominical, e era a primeira a se oferecer quando precisavam de carona para trabalhos de campo. Passava horas sentada em recitais de piano, peças da escola, jogos de beisebol e futebol. Ensinou cada uma das crianças a nadar, e riu em voz alta com a expressão do rosto deles quando atravessaram pela primeira vez os portões da Disney World. Em seu quadragésimo aniversário, Jack preparou uma festa-surpresa para ela no clube de campo, e quase 200 pessoas compareceram. Foi uma noite cheia de riso e de alto astral, mas depois, quando chegaram em casa, ela percebeu que Jack não olhou para ela enquanto se despia antes de ir para a cama. Em vez disso, ele apagou as luzes e, embora ela soubesse que não conseguia pegar tão rápido no sono, fingiu dormir.

Relembrando agora, ela sabia que aquilo deveria tê-la alertado para o fato de que nem tudo era o que parecia, mas com três crianças e um marido que havia deixado a criação dos filhos por sua conta, estava muito ocupada para refletir sobre o assunto. Além disso, ela não esperava nem acreditava que a paixão entre eles jamais fosse passar por altos e baixos. Estavam casados há tempo demais para saber disso. Ela achou que depois de um tempo, como sempre, as coisas voltariam a ser como eram antes, e não se preocupou mais. Mas isso não aconteceu. Aos 41, estava preocupada com o relacionamento deles, por isso tinha começado a examinar a seção de livros de auto ajuda da livraria em busca de títulos que pudessem contribuir para melhorar seu casamento. Às vezes se pegava esperando pelo futuro, quando as coisas talvez andassem mais devagar. Imaginava o que aconteceria sendo avó ou o que ela e Jack poderiam fazer quando tivessem tempo para aproveitar a companhia um do outro como casal de novo. Talvez aí, ela pensou, as coisas voltassem a ser como eram antes.

Foi nessa época que ela viu Jack almoçando com Linda Gaston. Linda, ela sabia, trabalhava na sucursal da firma de Jack em Greensboro. Apesar de ela ser especialista em legislação patrimonial e Jack trabalhar com litígios em geral, Adrienne sabia que às vezes seus casos se sobrepunham e exigiam colaboração, por isso não ficou surpresa ao vê-los almoçando. Adrienne até sorriu para eles através da janela. Embora Linda não fosse uma amiga íntima, já havia estado em sua casa como convidada inúmeras vezes; elas sempre se deram bem, apesar de Linda ser dez anos mais jovem e solteira. Só quando entrou no restaurante é que percebeu o modo carinhoso com que eles estavam se olhando. E ela teve certeza de que estavam de mãos dadas por baixo da mesa.

Durante um bom tempo, Adrienne ficou como que congelada no lugar em que estava, mas em vez de enfrentá-los, deu a volta e saiu antes que eles pudessem notar sua presença.

Adotando uma postura de negação, preparou o prato favorito de Jack naquela noite e não fez qualquer comentário a respeito do que tinha visto. Fingiu que não tinha acontecido, e em pouco tempo conseguiu se convencer de que estava enganada em relação ao que havia entre eles. Talvez Linda estivesse passando por uma fase difícil e ele a estivesse consolando. Era bem o estilo de Jack. Ou talvez, ela pensou, fosse uma fantasia fugidia da qual sequer tivessem consciência, um romance imaginário e nada mais.

Mas não era. O casamento deles começou a naufragar e, em poucos meses, Jack pediu o divórcio. Estava apaixonado por Linda, ele dissera. Não tinha sido premeditado, e esperava que ela compreendesse. Ela não compreendia e lhe disse isso, mas quando completou 42 anos, Jack saiu de casa.

Agora, cerca de três anos depois, Jack estava tocando sua vida, mas Adrienne sentia que era impossível para ela fazer o mesmo. Embora tivessem a guarda conjunta, era conjunta apenas teoricamente. Jack vivia em Greensboro, e a viagem de três horas era longa o bastante para manter as crianças com ela a maior parte do tempo. Em geral, sentia-se grata por isso, mas seus limites eram testados todos os dias pelas pressões geradas pelo fato de criá-los sozinha. À noite, geralmente caía desmaiada na cama, mas não conseguia pegar no sono porque era incapaz de impedir que os pensamentos ficassem pipocando em sua cabeça. E apesar de nunca ter contado a ninguém, às vezes pensava no que diria se Jack aparecesse na porta e lhe pedisse para aceitá-lo de volta, sabendo, lá no fundo, que provavelmente lhe diria que sim.

Ela se odiava por isso, mas o que poderia fazer?

Não queria essa vida; não queria e não esperava por isso. E nem merecia, pensou. Havia feito tudo direitinho, seguido todas as regras. Durante 18 anos tinha sido fiel. Desculpou as vezes em que ele bebeu demais, trouxe-lhe café quando precisou trabalhar até tarde e nunca disse uma palavra quando ele saía para jogar golfe nos fins de semana em vez de ficar com as crianças.

Era só sexo o que ele queria? Certo, Linda era mais jovem e mais bonita, mas isso era tão importante para ele a ponto de jogar fora todas as outras coisas de sua vida? As crianças não significavam nada? E ela? E os dezoito anos juntos? De qualquer forma, não é que ela tivesse perdido o interesse — nos últimos anos, sempre que fizeram amor, ela é quem tinha tomado a iniciativa. Se a necessidade era tão urgente, por que ele não tinha feito alguma coisa a respeito?

Ou então, ela pensou, ele estava entediado? Certamente, como estavam casados há tanto tempo, não havia muitas histórias novas para contar. Ao longo dos anos, a maioria delas havia sido reciclada em versões um pouco diferentes, e ambos haviam chegado a um ponto em que já sabiam qual seria o final ao ouvir apenas algumas palavras. Entretanto, eles faziam o que ela achava que a maioria dos casais fazia: ela perguntaria como tinha sido o trabalho, ele perguntaria sobre as crianças, e eles conversariam sobre alguma bobagem que havia feito um ou outro membro da família ou sobre o que estava acontecendo na cidade. Houve ocasiões em que até ela desejou que houvesse alguma coisa mais interessante para falar a respeito, mas será que ele não entendia que dali a alguns anos iria acontecer a mesma coisa com Linda?

Não era justo. Até seus amigos haviam dito isso, e ela deduziu que eles estavam do seu lado. E talvez estivessem, mas eles tinham uma maneira engraçada de mostrar isso, ela pensou. Um mês antes, tinha ido a uma festa de Natal oferecida por um casal que ela conhecia há anos, e não é que dera de cara com Jack e Linda? Isso era a vida em uma cidade pequena — as pessoas perdoavam coisas como essas — mas Adrienne não conseguiu evitar a sensação de que tinha sido traída.

Além da dor e da traição, sentia-se sozinha. Não tinha saído com ninguém desde o dia em que Jack saiu de casa. Rocky Mount não era exatamente um celeiro de homens atraentes e descasados na faixa dos 40 anos, e, de qualquer forma, aqueles que estavam solteiros não eram o tipo de homem que ela queria. A maioria deles tinha uma história e ela não achava que estivesse em condições de lidar com nada além do que já estava administrando. No começo, havia dito a si mesma que precisava ser seletiva e, quando pensou que estava pronta para adentrar o mundo dos encontros de novo, delineou mentalmente as características que procurava. Queria alguém inteligente, gentil e atraente, porém, mais do que isso, queria alguém que aceitasse o fato de que ela estava criando três adolescentes. Isso poderia ser um problema, ela suspeitava, mas como seus filhos eram bastante autossuficientes, ela não achava que esse fosse um obstáculo que pudesse desencorajar a maioria dos homens.

Caramba, não poderia estar mais enganada.

Nos últimos três anos, ninguém a convidara para nada, e ultimamente tinha começado a acreditar que isso jamais voltaria a acontecer. O velho e bom Jack poderia se divertir, o velho e bom Jack poderia ler o jornal da manhã com alguém diferente; ela, porém, simplesmente era ignorada pelos astros.

Além disso, é claro, havia os problemas financeiros.

Jack havia lhe dado a casa e pagava a pensão em dia, mas isso era suficiente apenas para fechar as contas no fim do mês. Apesar de ele ter ganhado muito dinheiro enquanto estavam casados, não haviam economizado nada. Como muitos casais, haviam passado anos presos na interminável rotina de gastar praticamente tudo o que ganhavam. Tinham carros novos e faziam ótimas viagens de férias; quando os televisores de tela grande chegaram ao mercado pela primeira vez, foram os primeiros da vizinhança a ter um em casa. Ela sempre acreditara que Jack estava cuidando do futuro deles, já que era ele quem administrava as contas. Acontece que não estava, e ela teve de assumir um emprego de meio período na biblioteca local. Embora não estivesse tão preocupada consigo mesma ou com as crianças, estava aterrorizada por causa de seu pai.

Um ano depois do divórcio, ele tivera um derrame, depois mais três, um atrás do outro. Agora precisava de cuidados permanentes. A casa de saúde que ela encontrara para colocá-lo era excelente, mas, como filha única, a responsabilidade pelo pagamento era toda sua. Com o que tinha guardado do acordo do divórcio, possuía o bastante para cobrir mais um ano, mas depois disso não sabia o que iria fazer. Já estava gastando tudo o que ganhava com o emprego de meio período na biblioteca. Quando Jean lhe perguntara pela primeira vez se ela se importaria de cuidar da pousada enquanto estivesse fora da cidade, já suspeitava dos problemas financeiros de Adrienne e deixara muito mais dinheiro do que o necessário para comprar alimentos. No bilhete que havia deixado dizia para Adrienne ficar com o que sobrasse. Sentiu-se grata, mas a caridade dos amigos feria seu orgulho.

O dinheiro, porém, representava apenas um aspecto das preocupações em relação ao seu pai. Às vezes, tinha a impressão de que ele era a única pessoa que sempre estivera do seu lado, e precisava dele, especialmente agora. Passar algum tempo com ele era uma espécie de válvula de escape para ela, e temia a ideia de que seu tempo juntos pudesse acabar por causa de algo que ela fizesse ou deixasse de fazer.

O que seria dele? O que seria dela?

Adrienne sacudiu a cabeça, obrigando-se a esquecer essas perguntas. Ela não queria pensar em nada disso, principalmente agora. Jean tinha dito que seria tranquilo — havia apenas uma reserva feita — e esperava que sua ida até ali desanuviasse suas ideias. Queria caminhar pela praia ou ler alguns romances que estavam na sua mesa de cabeceira há meses; queria ficar de pernas para o alto e observar os golfinhos brincando nas ondas. Esperava encontrar tranquilidade, mas ao ver-se ali em pé na varanda da pousada gasta pela maresia de Rodanthe à espera da tempestade que se aproximava, teve a impressão de que o mundo estava desabando. Seus filhos estavam lutando, seu pai estava doente, e ela não sabia como conseguiria manter as coisas funcionando.

Foi aí que ela começou a chorar. Minutos depois, quando ouviu os passos na varanda, virou a cabeça e viu Paul Flanner pela primeira vez.

Paul já tinha visto muitas pessoas chorarem, milhares de vezes, ele calculou, mas normalmente dentro do ambiente esterilizado da sala de espera de um hospital, depois de terminar uma cirurgia, ainda usando o avental. Para ele, os aventais serviam como uma espécie de escudo contra o aspecto emocional e pessoal do seu trabalho. Jamais havia chorado com as pessoas com quem falara, e também não conseguia se lembrar de nenhum dos rostos das pessoas que olhavam para ele em busca de respostas. Não era algo de que se orgulhasse, mas era assim que tinha sido.

Nesse momento, entretanto, ao olhar para os olhos avermelhados daquela mulher na varanda, sentiu-se um intruso em terreno desconhecido. Sua primeira reação foi cercar-se das velhas defesas. Mas havia alguma coisa no modo de olhar daquela mulher que fazia com que isso fosse impossível. Podia ser o cenário ou o fato de ela estar sozinha; de qualquer forma, a busca por simpatia era um sentimento novo para ele, que o pegou completamente desarmado.

Como não esperava que ele chegasse tão cedo, Adrienne procurou superar seu embaraço por ter sido surpreendida em uma situação daquelas. Forçando um sorriso, enxugou as lágrimas como quem tivesse ficado com os olhos úmidos por causa do vento.

Ao virar-se de frente para ele, contudo, não conseguiu evitar encará-lo.

Os olhos dele, pensou, eram os culpados. Eram azul-claros, tão claros que pareciam translúcidos, mas havia neles uma intensidade que nunca tinha visto nos olhos de alguém.

— Ele me conhece — ela pensou subitamente —, ou poderia me conhecer, se eu lhe desse uma chance.

Tão depressa como vieram, esses pensamentos se desfizeram, pois considerou-os ridículos. Não, ela decidiu, não havia nada de incomum no homem que estava a sua frente. Era apenas o hóspede de que Jean havia lhe falado e, como não estava na recepção, ele viera a sua procura; era apenas isso. Assim, começou a avaliá-lo da maneira como as pessoas costumam fazer ao verem um estranho.

Embora não fosse tão alto quanto Jack, talvez uns cinco centímetros mais baixo, era magro e elegante, como se fizesse exercícios diariamente. O suéter que estava usando era caro e não combinava com os *jeans* gastos, mas ele tinha conseguido fazer com que combinasse. Seu rosto era anguloso, marcado por linhas na testa que revelavam anos de concentração forçada. Tinha o cabelo grisalho curto e mais branco perto das têmporas; ela calculou que tivesse uns 50 anos, mas não conseguia ir muito além disso.

Nesse instante, Paul se deu conta de que estava olhando diretamente para ela e desviou o olhar.

— Desculpe — ele murmurou —, eu não queria interromper — e virou os ombros —, vou esperar lá dentro. Fique à vontade.

Adrienne balançou a cabeça, tentando deixá-lo à vontade.

— Tudo bem. De qualquer forma, eu já estava pensando em voltar para dentro.

Ao olhar para ele, observou seus olhos pela segunda vez. Seu olhar estava mais suave agora, com um ar de reminiscência, como se estivesse pensando em algo triste embora tentasse esconder. Ela tentou pegar sua xícara de café, usando-a como pretexto para virar-se.

Quando Paul segurou a porta aberta, ela fez sinal para que entrasse. Enquanto ele atravessava a cozinha a sua frente na direção da recepção, Adrienne observou seu físico atlético, corando ligeiramente ao se perguntar o que estaria lhe passando pela cabeça. Dirigiu-se ao balcão, repreendendo-se mentalmente. Checou o nome no livro de registro e ergueu o olhar.

— Paul Flanner, certo? Você vai ficar cinco noites e sair na terça?

— Sim — ele hesitou — será que você pode me dar um quarto com vista para o mar?

Adrienne pegou uma ficha de registro.

— É claro. Na verdade, você pode escolher qualquer um dos quartos do andar de cima. Você é o único hóspede com reserva para este fim de semana.

— Qual deles você recomenda?

— São todos ótimos, mas se fosse você, eu ficaria com o quarto azul.

— O quarto azul?

— É o que fica mais escuro. Se dormir no amarelo ou no branco, vai acordar assim que amanhecer. As persianas não ajudam muito, e o sol aparece bem cedo. As janelas desses quartos dão para o leste — Adrienne colocou a ficha perto dele com uma caneta do lado.

— Poderia assinar aqui?

— Claro.

Adrienne ficou olhando enquanto Paul escrevia seu nome, pensando em como as mãos combinavam com seu rosto. Os ossos de suas juntas eram proeminentes, como os de um homem mais velho, mas seus movimentos eram precisos e regulares. Ele não usava aliança, ela percebeu — não que isso tivesse alguma importância.

Paul colocou a caneta de lado e ela pegou a ficha, certificando-se de que ele a havia preenchido corretamente. No lugar do endereço, ele indicava o escritório de um advogado em Raleigh. Ela pegou uma chave no quadro, parou e depois pegou outras duas.

— Bem, por aqui está tudo resolvido. Pronto para ver o quarto?

— Por favor.

Paul deu um passo atrás para lhe dar passagem; ela saiu de trás do balcão da recepção, na direção das escadas. Ele pegou suas malas e foi atrás dela. Quando alcançou os degraus, parou e esperou por ele, indicando-lhe a sala de estar.

— Se quiser, tem café e biscoitos ali. Faz uma hora que fiz o café, acho que ainda está fresco.

— Eu vi quando entrei, obrigado.

No alto das escadas, Adrienne virou, a mão ainda no corrimão. Havia quatro quartos no andar de cima: um perto da frente da casa e três que davam para o oceano. Nas portas, Paul viu nomes em vez de números: Bodie, Hatteras e Cape Lookout; reconheceu os nomes dos faróis ao longo da região de Outer Banks.

— Pode escolher — disse Adrienne —, eu trouxe as três chaves para o caso de preferir outro.

Paul olhou os quartos.

— Qual é o quarto azul?

— É como eu chamo, mas Jean o chama de Suíte Bodie.

— Jean?

— É a proprietária. Só estou cuidando do lugar enquanto ela está fora.

As tiras da mochila estavam forçando seu pescoço, e Paul mudou-a de lado enquanto Adrienne abria a porta. Ela a manteve aberta, enquanto ele passava com a mochila.

Paul olhou em volta. O quarto era exatamente do jeito que havia imaginado: simples e limpo, mas com mais personalidade do que um quarto típico de hotel de beira de praia. Havia uma cama com quatro pés altos sob a janela, com uma mesinha de cabeceira. No teto, havia um ventilador girando lentamente, o suficiente para movimentar o ar. No canto oposto, perto de uma pintura grande do farol Bodie, havia uma porta que Paul presumiu ser a do banheiro. Perto da parede mais próxima, havia uma cômoda de aspecto gasto, que parecia estar ali desde a construção da pousada.

Com exceção da mobília, quase tudo estava em tons de azul: o tapete gasto era azul esverdeado, a colcha e as cortinas eram azul-marinho, a luminária sobre a mesinha de cabeceira ficava no meio termo, como a pintura de um carro novo. Embora a cômoda com gavetas e a mesa de cabeceira fossem amarelo-claro, tinham sido decoradas com cenas do oceano sob um céu de verão. Até o telefone era azul, o que lhe dava um aspecto de brinquedo.

— O que acha?

— É definitivamente azul — ele disse.

— Quer ver os outros quartos?

Paul colocou as mochilas no chão, enquanto olhava para a janela.

— Não, este aqui está ótimo. Mas posso abrir a janela? Está meio abafado aqui.

— É claro que sim.

Paul atravessou o quarto, abriu o trinco e levantou a persiana. Como a casa tinha sido pintada muitas vezes, a janela emperrou depois de correr alguns centímetros. Enquanto Paul fazia força para levantá-la um pouco mais, Adrienne reparou na musculatura enxuta de seus braços.

Ela limpou a garganta.

— Acho que é bom saber que é a primeira vez que tomo conta da pousada. Já estive aqui muitas vezes, mas sempre com Jean por perto. Por isso, se houver qualquer coisa errada, não pense duas vezes para falar comigo — ela disse.

Paul ficou de frente para ela. De costas para a janela, seus traços se perderam na sombra.

— Eu não estou preocupado — ele disse —, a verdade é que não ando muito preocupado com detalhes ultimamente.

Adrienne sorriu e tirou a chave da porta.

— Está bem, coisas que precisa saber. Jean me disse para falar isso. Há um aquecedor debaixo da janela, e tudo o que precisa fazer é ligá-lo. Só há duas posições, e no começo ele faz um barulhinho, mas para em poucos minutos. As toalhas do banheiro estão limpas; se precisar de mais, avise-me. E apesar de parecer que demora uma eternidade, sai água quente da torneira. Eu juro.

Adrienne reparou no sorriso de Paul antes de continuar.

— E a menos que apareça mais alguém neste fim de semana, e não acho que vá aparecer alguém com a tempestade, a menos que fiquem presos — ela disse —, podemos comer na hora que quiser. Normalmente, Jean serve o café da manhã às oito e o jantar às sete, mas, se estiver ocupado, é só me avisar e comemos quando for melhor. Posso ainda lhe preparar alguma coisa que possa levar.

— Obrigado.

Ela parou, pensando no que mais poderia dizer.

— Ah, mais uma coisa. Antes de usar o telefone, é bom saber que está programado para fazer apenas ligações locais. Se quiser fazer ligações para fora, terá de fazer chamada a cobrar e pedir ajuda à telefonista.

— Tudo bem.

Ela parou na entrada do quarto.

— Quer saber mais alguma coisa?

— Acho que você já disse tudo. Menos, é claro, o óbvio.

— Do que está falando?

— Você ainda não me disse qual é o seu nome.

Ela colocou a chave sobre a cômoda perto da porta e sorriu.

— Meu nome é Adrienne. Adrienne Willis.

Paul atravessou o quarto e, para sua surpresa, estendeu-lhe a mão.

— Muito prazer em conhecê-la, Adrienne.

Capítulo seis

Paul tinha vindo para Rodanthe a pedido de Robert Torrelson. Enquanto tirava as poucas coisas que havia trazido na mochila para colocá-las nas gavetas, voltou a pensar no que Robert queria lhe dizer ou se esperava que Paul é quem falasse alguma coisa.

Jill Torrelson tinha procurado por ele devido a um meningioma, cisto benigno que não oferecia perigo de morte, mas que era no mínimo desagradável. O meningioma ficava no lado direito do rosto, estendendo-se do osso do nariz até a bochecha, formando um caroço púrpura, coberto de cicatrizes onde tinha ulcerado ao longo dos anos. Paul havia operado dezenas de pacientes com meningiomas e havia recebido muitas cartas daqueles que haviam sido operados, expressando sua gratidão pelo que fizera.

Já tinha pensado nesse caso milhares de vezes, e ainda não entendia por que ela havia morrido. E a ciência, ao que tudo indicava, também não tinha uma resposta. A autópsia não havia sido conclusiva e não conseguira determinar a causa da morte. Suspeitaram a princípio de algum tipo de embolia, mas não conseguiram encontrar evidências. Depois, concentraram-se na hipótese de uma reação alérgica à anestesia ou aos medicamentos pós-operatórios, mas essa possibilidade também acabou sendo descartada; assim como negligência da parte de Paul. A cirurgia havia transcorrido sem imprevistos, e um exame minucioso do legista não encontrara nada de anormal no procedimento ou qualquer coisa que pudesse ter sido, mesmo que remotamente, responsável pela morte.

A fita de vídeo era a prova disso. Como o meningioma era considerado um caso típico, o procedimento tinha sido gravado pelo hospital para ser usado pela faculdade em aulas. Depois, foi revisto pela comissão de cirurgia do hospital e por três cirurgiões de outro estado. Mais uma vez, não haviam encontrado nenhuma falha.

Foram mencionados alguns aspectos do quadro clínico no relatório. Jill Torrelson estava acima do peso e suas artérias bastante grossas; era bem provável que ela acabasse precisando de uma revascularização cirúrgica do miocárdio. Tinha diabetes e, como fumante de longa data, o início de um enfisema. Entretanto esses fatores também não pareciam representar risco de morte naquele momento, além de não explicarem adequadamente o que tinha acontecido.

Jill Torrelson, ao que parecia, não havia morrido por algum motivo em particular, era como se Deus apenas a tivesse chamado.

Como tantas outras pessoas em uma situação como essa, Robert Torrelson entrou com uma ação alegando óbito por erro médico. Na ação foram citados Paul, o hospital e o anestesiologista. Paul, como a maioria dos cirurgiões, estava coberto por um seguro de responsabilidade civil. Como era de praxe, recebeu instruções para não falar com Robert Torrelson se o advogado não estivesse presente e, mesmo assim, somente se estivesse prestando um depoimento e por acaso Robert Torrelson estivesse na sala.

Passou-se um ano e o caso não chegou a lugar nenhum. Quando recebeu o relatório da autópsia, o advogado de Robert Torrelson encaminhou a fita de vídeo para outro cirurgião; os advogados da companhia de seguro e do hospital começaram então o processo de apresentação de petições para arrastar o processo e aumentar os custos. O advogado pintou um quadro sombrio do que o seu cliente teria de enfrentar. Embora não dissessem isso com clareza, os advogados da companhia de seguro esperavam que Robert Torrelson acabasse desistindo da ação.

O caso era semelhante aos poucos casos que Paul Flanner tivera de enfrentar ao longo dos anos, exceto pelo fato de Paul ter recebido um bilhete pessoal de Robert Torrelson dois meses antes.

Ele não precisou trazer o bilhete para se lembrar do que estava escrito.

Prezado Dr. Flanner,
Gostaria de lhe falar pessoalmente. É muito importante para mim.
Por favor.
Robert Torrelson

No fim do bilhete tinha deixado seu endereço.

Depois de ler, Paul havia mostrado o bilhete para os advogados e eles, assim como seus colegas do hospital, insistiram para que ele o ignorasse. Esqueça, disseram eles. Depois que isso acabar, podemos marcar um encontro com ele, caso ainda queira conversar.

Mas havia alguma coisa no pedido colocado acima da assinatura de letra cristalina de Robert Torrelson, que despertara o interesse de Paul e ele resolveu que não lhes daria ouvidos.

Paul vestiu a jaqueta, desceu as escadas e saiu pela porta da frente, dirigindo-se para seu carro. Pegou no banco da frente a carteira de couro com seu passaporte e as passagens, mas em vez de voltar para dentro, deu a volta pela lateral da casa.

No lado da praia, o vento ficou mais frio e Paul parou para fechar o zíper da jaqueta. Colocando a carteira de couro debaixo do braço, enfiou as mãos nos bolsos e abaixou a cabeça, sentindo a brisa batendo em seu rosto.

Ao olhar para o céu, lembrou-se do que havia visto em Baltimore antes das tempestades de neve, tingindo o mundo com tons de cinza. Ao longe, um pelicano sobrevoava a água, sem mexer as asas, flutuando com o vento. Ficou pensando no rumo que iria tomar quando a tempestade chegasse com toda a força.

Chegou perto da água e parou. As ondas que se aproximavam da praia vindo de duas direções diferentes formavam uma espuma ao se encontrarem. O ar estava frio e úmido. Olhando por cima do ombro, viu o brilho amarelado da luz da cozinha da pousada. A sombra da figura de Adrienne passou pela janela e sumiu de vista.

Iria tentar falar com Robert Torrelson na manhã seguinte, ele pensou. A tempestade deveria chegar à tarde e provavelmente duraria todo o fim de semana. Mas não iria deixar para a segunda-feira; seu avião sairia de Dulles na terça à tarde, e precisava sair de Rodanthe antes das nove. Não queria correr o risco de não conseguir falar com ele e, por causa da tempestade, já iria perder um dia. Na segunda, provavelmente teriam de enfrentar falta de energia, alagamentos, ou talvez Robert Torrelson tivesse de cuidar sabe lá do que depois do temporal.

Paul nunca tinha estado em Rodanthe, mas não acreditava que fosse levar mais do que alguns minutos para encontrar a casa. A cidade, imaginava ele, não tinha mais do que umas poucas ruas, e poderia atravessá-la em menos de meia hora.

Depois de alguns minutos na areia, virou-se e começou a voltar para a pousada. Nisso, captou mais uma vez a imagem de Adrienne Willis na janela.

Seu sorriso, ele pensou. Gostava daquele sorriso.

Da janela, Adrienne observou Paul Flanner enquanto ele voltava da praia.

Estava tirando os mantimentos dos pacotes, esforçando-se para colocar as coisas nos lugares certos. Havia comprado tudo o que Jean recomendara no começo daquela tarde, mas agora pensava se não deveria ter esperado pela chegada de Paul para lhe perguntar se tinha alguma preferência em relação à comida.

Estava intrigada com sua presença. Jean havia contado que dissera a ele, quando telefonara seis semanas antes, que estaria fechada até depois do ano-novo e só voltaria a abrir em abril; mas ele disse que pagaria a diária em dobro se pudesse ficar aberta por uma semana a mais.

Ele não estava em férias, ela tinha certeza. Não apenas porque Rodanthe não era um destino muito popular no inverno, mas também porque não lhe parecera com jeito de veranista. Suas maneiras ao registrar-se também não eram as de alguém que tivesse vindo para relaxar.

Também não havia dito nada sobre visitar a família, de forma que provavelmente estava ali a negócios. Mas aquilo também não fazia muito sentido. Além da pesca e do turismo, não havia muitos negócios em Rodanthe, e, com exceção dos negócios ligados às necessidades dos que viviam ali, a maioria fechava durante o inverno.

Ela ainda estava tentando descobrir o que poderia ser quando ouviu seus passos nos degraus dos fundos. Percebeu quando ele bateu os pés para tirar a areia dos sapatos no lado de fora da porta.

Um minuto depois, a porta dos fundos abriu-se com um rangido e Paul entrou na cozinha. Enquanto tirava a jaqueta, ela reparou que a ponta de seu nariz estava vermelha.

— Acho que a tempestade está se aproximando — ele disse —, a temperatura deve ter caído pelo menos uns dez graus desde hoje cedo.

Adrienne estava guardando uma caixa de *croutons* no armário e olhou por cima do ombro ao responder.

— Eu sei. Tive de aumentar o nível do aquecedor. O aquecimento da casa não é dos melhores. Dá pra sentir o vento entrando pelas janelas. Sinto muito pelo tempo ruim.

Paul esfregou os braços.

— Está tudo bem. Ainda tem café? Acho que gostaria de uma xícara para me esquentar.

— Acho que já está meio passado. Vou fazer outro. Não vai demorar nada.

— Você não se importa?

— É claro que não. Acho que vou tomar um pouco também.

— Obrigado. Vou colocar minha jaqueta no quarto e me lavar. Volto já.

Sorriu para ela antes de sair da cozinha, e Adrienne sentiu que expirava, sem ter percebido que havia segurado a respiração. Ela moeu um punhado de grãos frescos e trocou o filtro. Tirou o bule de prata, jogou na pia o que restara nele e lavou-o. Enquanto trabalhava, podia ouvir os movimentos dele no quarto acima.

Embora soubesse que seria o único hóspede no fim de semana, não tinha imaginado como seria estranho ficar sozinha na casa com ele, ou mesmo se tivesse que ficar sozinha. É claro que as crianças tinham suas próprias atividades e, de vez em quando, tinha algum tempo para si mesma, mas isso nunca durava muito. Elas podiam voltar a qualquer momento. Além disso, eram sua família. Não era exatamente a mesma situação em que se encontrava agora, e não conseguia deixar de sentir como se estivesse vivendo a vida de outra pessoa, e isso deixava-a insegura.

Serviu-se uma xícara de café e colocou o resto no bule de prata. Estava colocando o bule de volta na bandeja da sala de estar quando o ouviu descendo as escadas.

— Bem na hora — ela disse —, o café está pronto. Quer que eu acenda a lareira?

Quando Paul entrou na sala de estar, ela sentiu o aroma de colônia. Ele se aproximou para pegar a xícara.

— Não, está bom assim. Talvez mais tarde.

Ela acenou com a cabeça e recuou ligeiramente.

— Bem, se precisar de alguma coisa, estarei na cozinha.

— Pensei que tinha dito que também queria uma xícara.

— Eu já me servi. Deixei no balcão.

— Não vai me fazer companhia?

Havia uma certa expectativa na maneira como ele fez a pergunta, como se realmente quisesse que ela ficasse.

Ela hesitou. Jean tinha facilidade para conversar com estranhos, mas ela não. Ao mesmo tempo, sentia-se lisonjeada com o convite, embora não soubesse muito bem por quê.

— Acho que sim — ela respondeu, finalmente —, vou pegar minha xícara.

Ao voltar, encontrou Paul sentado em uma das duas cadeiras de balanço que ficavam próximas à lareira. Com fotos em preto e branco retratando a vida na região de Outer Banks durante os anos de 1920 e uma longa prateleira de livros gastos ocupando a parede, esta sempre fora sua sala favorita na pousada. Na parede oposta havia duas janelas que davam para o mar. Perto da lareira havia uma pilha de toras de lenha junto a um cesto com pedaços de pinho, como que prometendo uma noite aconchegante com a família.

Paul estava segurando sua xícara de café no colo, balançando com a cadeira para a frente e para trás, apreciando a vista. O vento soprava a areia, e a neblina estava caindo, fazendo o mundo lá fora parecer mais sombrio. Adrienne sentou-se na cadeira ao lado e por um momento observou a cena em silêncio, tentando não se sentir nervosa.

Paul virou-se para ela:

— Você acha que podemos ser levados pela tempestade amanhã?

Adrienne passou a mão pelos cabelos.

— Acho difícil. Este lugar está aqui há sessenta anos e nunca foi derrubado.

— Você já esteve aqui durante uma dessas tempestades? Dessas grandes, eu quero dizer, como a que estão esperando?

— Não. Mas Jean já esteve, por isso não pode ser tão ruim. De qualquer forma, ela é daqui, talvez esteja acostumada.

Quando ela respondeu, Paul percebeu que a estava analisando. Alguns anos mais nova que ele, cabelo castanho-claro na altura dos ombros, levemente encaracolado. Não era magra, mas também não era gorda; para ele, Adrienne tinha uma figura atraente, um tipo que desafiava os padrões irreais da televisão ou das revistas. Tinha o nariz ligeiramente adunco, pés de galinha ao redor dos olhos, e sua pele tinha atingido aquele ponto entre a juventude e a idade madura, antes que a gravidade começasse a fazer seu trabalho.

— E você disse que ela é sua amiga?

— Nós nos conhecemos na faculdade. Jean foi uma das minhas colegas de quarto, e nos mantivemos sempre em contato. Esta casa era dos avós dela, mas seus pais a transformaram em uma pousada. Depois que você acertou sua estadia, ela me telefonou, pois tinha de ir a uma festa de casamento fora da cidade.

— Mas você não mora aqui?

— Não, moro em Rocky Mount. Já esteve lá alguma vez?

— Muitas. Costumava passar por lá quando viajava para Greenville.

Diante dessa resposta, Adrienne voltou a pensar no endereço que ele havia fornecido ao se registrar. Tomou um gole de café e baixou a xícara até o colo.

— Sei que não é da minha conta — ela disse —, mas posso lhe perguntar o que está fazendo aqui? Não precisa responder se não quiser, só estou curiosa.

Paul se mexeu na cadeira.

— Vim para falar com uma pessoa.

— É um longo caminho só para ter uma conversa.

— Eu não tive muita escolha. Ele queria falar comigo pessoalmente.

Sua voz soou tensa e distante, e por um momento ele pareceu absorto em seus pensamentos. No silêncio, Adrienne conseguia ouvir o barulho da bandeira sendo agitada pelo vento lá fora.

Paul colocou sua xícara sobre a mesa que estava entre eles.

— O que é que você faz... — ele perguntou, finalmente, sua voz voltando a ficar mais cordial —, além de cuidar dos serviços domésticos para os amigos?

— Trabalho na biblioteca pública.

— É mesmo?

— Você parece surpreso.

— Acho que estou. Esperava que fosse dizer alguma coisa diferente.

— Como assim?

— Para ser franco, não tenho certeza. Só não esperava isso. Você não parece ter idade para ser uma bibliotecária. No lugar em que moro, todas estão na casa dos 60.

Ela sorriu.

— É só meio período. Tenho três filhos, tenho coisas de mãe para fazer também.

— Que idade eles têm?

— 18, 17 e 15.

— Eles tomam muito o seu tempo?

— Não, na verdade não. Desde que eu esteja em pé às cinco da manhã e não vá pra cama até à meia-noite, está tudo bem.

Ele sorriu e Adrienne percebeu que estava começando a relaxar.

— E você? Tem filhos?

— Apenas um. Um menino.

Por um segundo, ele baixou os olhos, mas virou-se para ela novamente:

— Ele é médico no Equador.

— Ele vive lá?

— Por enquanto. Está fazendo um trabalho voluntário em uma clínica perto de Esmeraldas.

— Você deve estar orgulhoso dele.

— Estou — ele parou —, mas, para ser franco, ele deve ter herdado esse traço da minha mulher. Ou melhor, ex-mulher. Esse tipo de coisa tem mais a ver com ela.

Adrienne sorriu.

— É bom ouvir isso.

— O quê?

— Que você ainda admira as qualidades dela. Apesar de estarem divorciados, eu quero dizer. Não é muito comum ouvir essas coisas depois que as pessoas se separam. Normalmente, quando as pessoas falam de seus ex, tudo do que se lembram de falar é das coisas que não deram certo ou das coisas ruins que a outra pessoa fez.

Paul ficou pensando se ela estaria falando aquilo por experiência própria, e achou que estava.

— Fale alguma coisa a respeito de seus filhos, Adrienne. O que eles gostam de fazer?

Adrienne tomou outro gole de café, pensando em como era estranho ouvi-lo falar seu nome.

— Meus filhos? Bem, eles... deixe ver... Matt começou como zagueiro no time de futebol e agora joga na defesa do time de basquete. Amanda adora teatro e acaba de ganhar o papel de Maria em uma montagem de *West Side Story*. E Dan... bem, atualmente Dan está jogando basquete, também, mas está pensando em praticar luta livre no ano que vem. O treinador vive implorando para que ele faça uma tentativa desde que o viu praticando no acampamento no último verão.

Paul ergueu as sobrancelhas!

— Estou impressionado.

— O que posso dizer? Eles puxaram a mãe — ela brincou.

— Por que será que isso não me surpreende?

Ela sorriu.

— É claro que esses são os aspectos positivos. Se eu falasse das mudanças repentinas de humor ou de comportamento ou se eu o deixasse ver a bagunça dos quartos, você provavelmente iria pensar que faço um péssimo trabalho para criá-los.

Paul sorriu.

— Duvido. Eu iria pensar que você estava criando adolescentes.

— Em outras palavras, você está me dizendo que seu filho, o médico consciencioso, passou por isso também, e, portanto, não devo perder as esperanças?

— Sou capaz de apostar que ele também fez isso.

— Mas não está absolutamente certo?

— Não muito — ele fez uma pausa —, eu nem sempre estava por perto, não tanto quanto deveria. Houve uma época em minha vida em que trabalhei demais.

Ela poderia jurar que aquela havia sido uma confissão difícil para ele, e ficou imaginando por que ele a teria feito. Antes que pudesse voltar ao assunto, o telefone tocou e ambos se viraram ao ouvir a campainha.

— Desculpe — ela disse, levantando-se da cadeira —, tenho de atender.

Paul ficou observando enquanto ela se afastava, reparando mais uma vez o quanto era atraente. Apesar dos rumos de sua prática médica nos últimos anos, ele continuava menos interessado na aparência do que naquelas coisas que ninguém podia ver: bondade e integridade, humor e sensibilidade. Adrienne, ele tinha certeza, possuía essas características, mas tinha a sensação de que há anos ninguém lhes dava valor, talvez nem mesmo ela.

Era capaz de jurar que estava nervosa quando veio se sentar perto dele, e pensou que isso era estranhamente cativante. Era muito comum, especialmente na sua área de trabalho, encontrar pessoas que pareciam decididas a impressionar, certificando-se de que estavam dizendo as coisas certas, fazendo questão de exibir o que faziam bem. Outros divagavam, como se encarassem a conversa como uma rua de mão única, e não havia coisa mais chata do que um fanfarrão. Nada disso parecia se aplicar a Adrienne.

E, ele tinha de admitir, era agradável conversar com alguém que não o conhecia. Nos últimos meses, tinha alternado períodos em que ficava sozinho com outros em que precisava se esquivar de perguntas a respeito de como estava se sentindo. Mais de uma vez, seus amigos haviam lhe recomendado um bom terapeuta, de quem já tinham obtido grande ajuda. Paul estava cansado de explicar que sabia o que estava fazendo e que estava seguro quanto às decisões que tomara. Estava ainda muito cansado dos olhares de preocupação que recebia como resposta.

Porém, havia algo em Adrienne que fazia com que sentisse que ela iria entender o que estava passando. Não saberia explicar por que se sentia dessa maneira ou por que isso teria importância. De qualquer maneira, ele tinha certeza.

Capítulo sete

Alguns minutos depois, Paul colocou a xícara vazia na bandeja e depois levou-a para a cozinha.

Adrienne ainda estava ao telefone quando chegou, com as costas voltadas para ele. Estava inclinada sobre a bancada, uma perna cruzada sobre a outra, com uma mecha de cabelo entre os dedos. Pelo tom de sua voz, percebeu que estava terminando a conversa, e colocou a bandeja na bancada.

— Sim, eu recebi seu recado... aham... sim, ele já se registrou...

Houve uma longa pausa, enquanto ela apenas ouvia, e quando falou de novo, Paul ficou ouvindo os trechos da conversa.

— Ficaram falando no noticiário o dia todo... Pelo que sei, acho que vai ser forte... Está bem, está bem... debaixo da casa?... Tá, acho que posso fazer isso... quer dizer, não deve ser tão difícil, certo? Não se preocupe... Aproveite o casamento... Tchau.

Paul estava colocando a xícara na pia quando ela se virou.

— Você não precisava ter trazido isso pra cá.

— Eu sei, mas eu estava vindo de qualquer jeito. Queria saber o que vamos ter para o jantar.

— Está ficando com fome?

Paul abriu a torneira.

— Um pouco. Mas podemos esperar se você preferir.

— Não, também estou ficando com fome.

— Então, vendo o que ele estava prestes a fazer, ela acrescentou:

— Ei, deixe que eu faço isso. Você é o hóspede.

Paul se afastou quando Adrienne se aproximou da pia. Ela lavou as xícaras e o bule enquanto falava.

— Você pode dizer se prefere frango, bife ou macarrão com molho cremoso esta noite. Posso fazer o que quiser, mas não se esqueça de que o que não comer hoje, provavelmente irá comer amanhã. Eu não posso garantir que consiga encontrar algum lugar aberto no fim de semana.

— Qualquer coisa para mim está bem. Você escolhe.

— Frango? Já está descongelado.

— Certo.

— E eu pensei em fazer batatas e ervilhas para acompanhar.

— Parece ótimo.

Ela secou as mãos na toalha de papel e então alcançou o avental que estava pendurado perto do fogão. Colocando-o por cima do suéter, prosseguiu:

— E que tal uma salada, também?

— Se for fácil. Se não, não tem problema.

Ela sorriu.

— Caramba, você não estava mentindo quando disse que não se preocupava com detalhes.

— Meu lema é: se eu não tiver de cozinhar, sou capaz de comer qualquer coisa.

— Você não gosta de cozinhar?

— Na verdade, nunca precisei. Martha, minha ex, estava sempre experimentando novas receitas. E, desde que ela foi embora, como fora praticamente todas as noites.

— Bom, espero que não vá comparar minha comida com a de algum restaurante. Eu sei cozinhar, mas não sou uma *chef*. Normalmente, meus filhos estão mais interessados em quantidade do que em originalidade.

— Tenho certeza de que vai ser ótimo. Mas eu gostaria de ajudar.

Ela olhou para ele, surpresa por ele ter se oferecido.

— Apenas se quiser mesmo. Se preferir descansar no quarto ou ler, eu aviso quando estiver pronto.

Ele balançou a cabeça.

— Eu não trouxe nada para ler e se me deitar agora não vou conseguir dormir durante a noite.

Ela hesitou, pensando na oferta antes de finalmente apontar na direção da porta que ficava do outro lado da cozinha.

— Bem... obrigada. Você pode começar descascando as batatas. Elas estão na despensa, daquele lado, na segunda prateleira, perto do arroz.

Paul foi até a despensa. Enquanto abria a geladeira para tirar o frango, ela o observou com o canto do olho, pensando em como era agradável, e também um pouco desconcertante, saber que ele iria ajudá-la na cozinha. Havia nisso uma familiaridade implícita que a deixava levemente desconcertada.

— Você tem alguma coisa pra beber aí na geladeira? — Paul perguntou de onde estava.

Adrienne colocou algumas coisas de lado antes de procurar na prateleira do fundo. Havia três garrafas na horizontal, equilibradas por um vidro de picles.

— Você gosta de vinho?

— De que tipo?

Ela colocou o frango na bancada e depois pegou uma das garrafas.

— É um *pinot grigio*. Tudo bem pra você?

— Eu nunca experimentei. Normalmente tomo *chardonnay*. Você conhece?

— Não.

Ele atravessou a cozinha, levando as batatas. Depois de colocá-las na bancada, alcançou a garrafa de vinho. Adrienne viu-o examinar o rótulo antes de erguer os olhos.

— Parece bom. Aqui diz que tem leves toques de maçã e laranja, então não pode ser ruim, não é mesmo? Você sabe onde posso encontrar um saca-rolha?

— Acho que vi um em alguma dessas gavetas. Deixe ver...

Adrienne abriu uma gaveta e depois outra, sem sorte. Quando finalmente encontrou um saca-rolha, entregou-o a ele, sentindo o toque de seus dedos roçando nos dela. Com movimentos rápidos, ele arrancou a rolha da garrafa e a colocou do lado. Em um armário perto do fogão estavam os copos pendurados. Paul foi até lá, pegou um copo e parou.

— Você aceita um copo de vinho?

— Por que não? — ela disse, ainda sob a sensação deixada por seu toque.

Paul serviu dois copos e lhe entregou um deles. Ele sentiu o aroma do vinho, e então tomou um gole. Adrienne fez o mesmo. Enquanto o sabor do vinho se espalhava por sua garganta, ela percebeu que ainda estava tentando entender o que estava acontecendo.

— O que você acha?

— É bom.

— Também acho — ele girou levemente o copo com vinho —, pra falar a verdade, é melhor do que eu pensava. Vou tentar não esquecer.

Adrienne sentiu uma súbita necessidade de se afastar e deu um passo para trás.

— Acho melhor começar a fazer a comida.

— Acho que essa é a deixa para eu voltar ao trabalho.

Enquanto Adrienne procurava a assadeira perto do forno, Paul colocou o copo sobre a bancada e foi até a pia. Depois de abrir a torneira, ele ensaboou e esfregou as mãos. Ela reparou que esfregara as palmas e as costas das mãos, e depois havia limpado cada um dos dedos individualmente. Ela se virou para o forno, ajustou a temperatura e viu o gás dar o sinal de que estava ligado.

— Você sabe se existe algum descascador por aqui?

— Eu já procurei e não encontrei, por isso acho melhor usar uma faca mesmo. Você se incomoda?

Paul deu uma risada.

— Acho que consigo me virar. Afinal, sou um cirurgião — ele disse.

Assim que ouviu essas palavras, tudo fez sentido para ela: as linhas do rosto, a intensidade do olhar, a maneira como havia lavado as mãos. Ficou imaginando por que não havia pensado nisso antes. Paul se mexeu ao seu lado, depois alcançou as batatas e começou a limpá-las.

— Você tem consultório em Raleigh?

— Eu tinha. Vendi o consultório no mês passado.

— Você se aposentou?

— De certa forma. Na verdade, estou indo encontrar meu filho.

— No Equador?

— Se ele tivesse me perguntado alguma coisa, eu teria recomendado o Sul da França, mas duvido que ele me desse ouvidos.

Ela sorriu e falou:

— Eles nunca dão.

— Não. Mas eu também não dei importância às coisas que meu pai me disse. Acho que faz parte do crescimento.

Por um momento, nenhum dos dois disse qualquer coisa. Adrienne temperou os pedaços de frango. Paul começou a descascar as batatas, as mãos se movimentando com eficiência.

— Se entendi direito, Jean está preocupada com a tempestade — ele comentou.

Ela o olhou de relance.

— Como sabe disso?

— Pela maneira como você ficou quieta ao telefone. Imaginei que ela estivesse lhe dizendo o que deveria ser feito para deixar a casa preparada.

— Você é bastante perspicaz.

— Vai ser muito forte? Quer dizer, terei o maior prazer em ajudar se você precisar.

— Tome cuidado, eu talvez aceite a oferta. Meu ex-marido é que era bom com um martelo, não eu. E, para ser franca, ele nem era tão bom assim.

— Eu sempre achei que é uma habilidade que as pessoas valorizam exageradamente — ele colocou a primeira batata sobre a tábua de madeira e pegou outra —, eu não quero ser inoportuno, mas posso lhe perguntar há quanto tempo está divorciada?

Ela não tinha certeza de que quisesse conversar a respeito desse assunto, mas surpreendeu a si mesma respondendo mesmo assim.

— Três anos. Mas ele já tinha saído de casa fazia um ano.

— As crianças vivem com você?

— A maior parte do tempo. Agora estão em férias da escola, por isso foram visitar o pai. E você? Há quanto tempo está separado?

— Há alguns meses apenas. Foi no fim de outubro. Mas ela também já tinha ido embora no ano passado.

— Foi ela quem saiu?

Paul acenou afirmativamente com a cabeça.

— Sim, mas a culpa foi mais minha do que dela. Eu nunca parava em casa, e ela se cansou. Se estivesse no lugar dela, eu provavelmente teria feito o mesmo.

Adrienne ficou pensando no que ele havia dito, e concluiu que o homem que estava ali em pé ao seu lado não parecia ter nada a ver com o homem que ele acabara de descrever.

— Que tipo de cirurgia você fazia?

Depois que ele contou, ela o encarou. Paul continuou a falar, como se tivesse adivinhado as perguntas que ela queria fazer.

— Comecei a fazer isso porque gostava de ver os resultados sempre evidentes do meu trabalho, para não falar da imensa satisfação que sentia em saber que estava ajudando outras pessoas. No começo, eu fazia mais um trabalho de reconstrução depois de algum acidente, ou devido a defeitos de nascença, coisas desse tipo. Mas nos últimos anos, as coisas foram se modificando. Agora as pessoas me procuram para fazer cirurgia plástica. Fiz mais cirurgias de nariz nos últimos seis meses do que jamais imaginei que fosse possível.

— O que eu precisaria fazer? — ela perguntou em tom de brincadeira.

Ele balançou a cabeça.

— Absolutamente nada.

— É sério.

— Estou falando sério. Eu não mudaria nada.

— Verdade?

Ele mostrou dois dedos.

— Palavra de escoteiro.

— Você já foi escoteiro?

— Não.

Ela riu, mas sentiu que tinha ficado vermelha.

— Bem, muito obrigada.

— Não tem de quê.

Quando o frango ficou pronto, Adrienne colocou-o no forno e ajustou o tempo, depois lavou as mãos novamente. Paul lavou as batatas e deixou-as perto da pia.

— E agora?

— É só pegar tomate e pepino na geladeira para fazer a salada.

Paul deu a volta em torno dela, abriu a porta da geladeira e pegou o que ela pediu. Adrienne sentiu o cheiro de colônia ocupando o pequeno espaço que os separava.

— E como era a vida em Rocky Mount? — ele perguntou.

No começo, Adrienne não sabia muito bem o que dizer, mas depois de alguns minutos, sentiu que a conversa havia se transformado em algo que era ao mesmo tempo familiar e natural. Contou histórias a respeito de seu pai e de sua mãe, falou do cavalo que o pai havia comprado para ela quando tinha doze anos, e ela se lembrou das horas em que passavam juntos cuidando do animal e de como isso havia lhe ensinado mais a respeito do que era responsabilidade do que qualquer outra coisa que tivesse feito até então.

Descreveu seus anos de faculdade com carinho, e como havia cruzado com Jack em uma festa da fraternidade no último ano. Eles haviam namorado durante dois anos, e quando se casou fez seus votos acreditando que iriam durar para sempre. Nesse instante, sua voz se perdeu no ar, e ela sacudiu a cabeça ligeiramente, mudando a conversa para falar das crianças, preferindo não tocar na questão do divórcio.

Enquanto falava, Paul fazia a salada, cobrindo-a com os *croutons* que ela havia comprado à tarde, fazendo algumas perguntas aqui e ali, apenas o suficiente para mostrar a ela que estava interessado no que estava dizendo. A animação evidente em seu rosto ao falar de seu pai e de seus filhos fez com que ele também sorrisse.

A noite foi caindo, e as sombras começaram a tomar conta da casa. Adrienne colocou a mesa enquanto Paul colocava mais vinho nos copos. Quando o jantar ficou pronto, eles ocuparam seus lugares à mesa.

Durante o jantar, Paul foi quem falou mais. Ele contou a ela sobre sua infância na fazenda, descreveu as dificuldades que tivera de enfrentar na faculdade de medicina e da época em que praticara corrida *cross-country*, e falou de suas primeiras viagens até a região de Outer Banks. Quando ele falou das lembranças que tinha do pai, Adrienne pensou em lhe falar do que estava acontecendo com o seu, mas no último minuto se conteve. Jack e Martha foram mencionados apenas de passagem; assim como Mark. Durante a maior parte do tempo, a conversa deles tocou apenas superficialmente todos os assuntos, e, até aquele momento, nenhum dos dois estava preparado para ir mais a fundo no que quer que fosse.

Quando terminaram o jantar, o vento havia se transformado em uma brisa e as nuvens estavam se juntando em uma calma que antecipava a tempestade. Paul levou os pratos para a pia enquanto Adrienne colocava as sobras na geladeira. A garrafa de vinho estava vazia, a maré estava subindo e as primeiras imagens dos relâmpagos começaram a surgir a distância no horizonte, fazendo o mundo lá fora brilhar, como se alguém estivesse tirando fotografias com a esperança de se lembrar daquela noite para sempre.

Capítulo oito

Depois de ajudá-la com a louça, Paul apontou para a porta dos fundos.

— Você me faria companhia em um passeio pela praia? A noite parece agradável — perguntou.

— Não está ficando um pouco frio?

— Deve estar, mas tenho a impressão de que esta será a última oportunidade que teremos nos próximos dias.

Adrienne espiou pela janela. Ela deveria ficar e acabar de arrumar a cozinha, mas isso poderia esperar, certo?

— Claro — ela concordou —, vou pegar um casaco.

O quarto de Adrienne ficava ao lado da cozinha, em um cômodo que Jean havia acrescentado à casa doze anos atrás. Era maior que os outros quartos da casa e tinha um banheiro que havia sido projetado para circundar uma grande banheira de hidromassagem. Jean fazia uso da hidro regularmente, e sempre que Adrienne telefonava quando estava se sentindo deprimida, esse era o remédio que Jean recomendava para que ela se sentisse melhor:

— O que você precisa é de um banho demorado, quente e relaxante — ela diria, esquecendo-se do fato de que havia três crianças na casa monopolizando os banheiros e de que a rotina de Adrienne não possibilitava que tivesse muito tempo de folga.

Adrienne tirou sua jaqueta do armário e pegou um cachecol. Colocando-o em volta do pescoço, ela olhou para o relógio e ficou surpresa. Era impressionante a rapidez com que as horas passaram. Ao voltar para a cozinha, Paul estava esperando por ela também vestido com um casaco.

— Pronta?

Ela levantou a gola da jaqueta.

— Podemos ir. Mas já vou avisando que não sou grande fã de tempo frio. O meu sangue sulista é meio ralo.

— Nós não vamos demorar. Eu prometo.

Quando saíram, ele estava sorrindo. Adrienne acendeu as luzes que iluminavam a escada. Caminhando lado a lado, foram em direção à pequena duna de areia, e depois para a areia compacta que ficava perto da beira da água.

Havia uma beleza exótica no anoitecer; o ar estava claro e fresco, e a brisa tinha um sabor de sal. No horizonte, os relâmpagos surgiam em um ritmo constante, fazendo as nuvens reluzirem. Adrianne percebeu que Paul também olhava para o céu nessa mesma direção. Seus olhos, ela percebeu, pareciam registrar tudo o que acontecia.

— Você já tinha visto uma coisa dessas? Relâmpagos como esses? — perguntou.

— Não no inverno. No verão, isso acontece de vez em quando.

— São duas frentes que estão se aproximando ao mesmo tempo. Eu percebi que estava começando durante o jantar e acho que essa tempestade vai ser mais forte do que estão anunciando as previsões.

— Espero que você esteja enganado.

— Posso estar.

— Mas não tem certeza.

Ele sacudiu os ombros.

— Vamos apenas dizer que, se eu soubesse que iria acontecer uma coisa dessas, eu teria tentado rever os planos.

— Por quê?

— Eu não sou mais um grande fã de tempestades. Você se lembra do furacão Hazel, em 1954?

— Claro, mas eu era pequena naquela época. Fiquei mais agitada do que assustada quando ficamos sem energia elétrica em casa. E Rocky Mount nem foi atingida com muita intensidade, ou pelo menos o nosso bairro não foi.

— Vocês tiveram sorte. Eu tinha 21 anos naquela época e estava estudando na Duke. Quando ouvimos a tempestade chegando, alguns dos rapazes da equipe de *cross-country* começaram a achar que aquela seria uma ótima experiência para unir o grupo, e fomos para a praia de Wrightsville fazer a festa do furacão. Eu não queria ir, mas, como era o capitão, eles me arrastaram.

— Não foi por aí que o furacão chegou?

— Não exatamente, mas foi bem perto. Quando chegamos lá, quase todas as pessoas já tinham sido retiradas da ilha, mas nós éramos jovens e idiotas e continuamos a ir até a praia. No começo, até que foi divertido. Nós ficávamos dando voltas, tentando nos inclinar com o vento, mantendo o equilíbrio, achando tudo aquilo ótimo e imaginando por que estavam todos tão preocupados. Algumas horas depois, no entanto, o vento ficou forte demais para brincadeiras e a chuva começou a cair com violência, por isso decidimos voltar para Durham. Mas não havia como sair da ilha. Eles tinham fechado as pontes quando os ventos chegaram a 80 quilômetros por hora, e nós estávamos presos. A tempestade foi piorando. Às duas da manhã, parecia um campo de guerra. As árvores estavam sendo arrastadas, os telhados estavam sendo arrancados, e por toda parte para que se olhasse havia alguma coisa perigosa capaz de nos matar, voando perto da janela do carro. E você não imagina o barulho. A chuva estava despencando sobre o carro e foi então que a vaga da tempestade nos atingiu. A maré estava alta e a lua cheia, e as ondas mais altas que eu já vi na vida vieram pra cima de nós, uma atrás da outra. Por sorte, estávamos longe da praia, mas vimos quatro casas serem arrastadas naquela noite. E então, quando achávamos que nada de pior poderia acontecer, os fios de eletricidade soltos começaram a bater aleatoriamente. Vimos transformadores explodirem e um dos fios ficou solto perto do carro. Ficou balançando no vento o resto da noite. Estava tão perto que víamos as faíscas e ele quase chegou a encostar no carro. Além de algumas orações, acho que nenhum de nós disse qualquer outra coisa dentro do carro pelo resto da noite. Foi a coisa mais estúpida que já fiz em minha vida.

Adrienne não tinha tirado os olhos dele enquanto ouvia a história.

— Você teve sorte de ficar vivo.

— Eu sei.

Na praia, a violência das ondas havia feito com que a espuma formasse algo parecido com bolhas de sabão na banheira de um bebê.

— Eu nunca tinha contado essa história antes — Paul acrescentou finalmente —, quero dizer, para ninguém.

— Por quê?

— Porque não era... eu, por algum motivo. Eu nunca tinha feito nada tão perigoso antes e nunca mais fiz nada parecido. É quase como se tivesse acontecido com outra pessoa. Você teria de me conhecer para entender o que estou falando. Eu era o tipo de cara que não saía na sexta-feira à noite para não ficar atrasado nos estudos.

Ela riu:

— Duvido.

— É verdade. Eu não saía.

Enquanto caminhavam pela areia pesada, Adrienne observou as casas que ficavam além das dunas. Não havia luzes acesas, e naquela escuridão, Rodanthe parecia uma cidade-fantasma.

— Você se importa se eu lhe disser uma coisa? Quer dizer, não quero que me entenda mal — disse ela.

— Não se preocupe.

Eles deram mais alguns passos, enquanto Adrienne lutava com as palavras.

— Bem... é que... quando você conta alguma coisa a seu respeito, parece até que você está falando de outra pessoa. Você diz que costumava trabalhar muito, mas uma pessoa assim não vende o consultório para ir embora para o Equador. Você diz que não fazia coisas malucas, mas aí me conta uma história sobre uma maluquice que você fez. Só estou tentando entender.

Paul hesitou. Ele não precisava dar explicações a seu respeito, nem para ela nem para qualquer outra pessoa, mas ao caminhar sob o céu bruxuleante daquela noite fria de janeiro, ele percebeu subitamente que queria que ela o conhecesse — que o conhecesse de verdade, com todas as suas contradições.

— Você tem razão — ele começou —, porque estou falando de duas pessoas. Eu costumava ser Paul Flanner, o rapaz determinado que cresceu e se transformou em um cirurgião. O sujeito que passava o tempo todo trabalhando. Ou Paul Flanner, o marido e pai com uma grande casa em Raleigh. Mas hoje em dia não sou nada disso. Neste momento, só estou tentando descobrir quem é realmente Paul Flanner, e sinceramente estou começando a me perguntar se algum dia encontrarei a resposta.

— Acho que todo mundo se sente assim às vezes. Mas poucas pessoas seriam capazes de ir para o Equador por causa disso.

— Você acha que é por causa disso que estou indo?

Eles caminharam mais alguns passos em silêncio antes que Adrienne olhasse para ele.

— Não — ela disse —, meu palpite é que você está indo para poder conhecer seu filho.

Adrienne viu a surpresa no rosto dele.

— Não foi tão difícil descobrir isso. Você quase não falou o nome dele a noite inteira. Mas se você acha que isso vai ajudar, fico feliz que esteja indo — ela falou.

Ele sorriu:

— Bom, você é a primeira. Nem mesmo Mark ficou muito satisfeito quando contei a ele.

— Ele vai superar.

— Você acha?

— Espero que sim. É isso o que digo para mim mesma quando estou tendo que resolver problemas com meus filhos.

Paul exibiu um sorriso breve e então mexeu os ombros.

— Você quer voltar? — ele perguntou.

— Eu só estava esperando você dizer isso. Minhas orelhas estão ficando geladas.

Eles fizeram meia-volta, seguindo suas próprias pegadas deixadas na areia. Embora a lua não estivesse visível, as nuvens acima deles tinham um brilho prateado. Ao longe, eles podiam ouvir os primeiros rugidos dos trovões.

— Como era seu ex-marido?

— Jack? — ela hesitou, imaginando se deveria tentar mudar de assunto, e então resolveu que aquilo não tinha importância. Para quem ele poderia contar? — Ao contrário de você — ela disse finalmente —, Jack acha que já se encontrou. Só que aconteceu com outra pessoa enquanto nós ainda estávamos casados.

— Sinto muito.

— Eu também. Ou sentia, sei lá. Eu procuro não pensar nisso.

Paul lembrou-se das lágrimas que havia visto mais cedo.

— E você consegue?

— Não, mas continuo tentando. Quer dizer, o que mais posso fazer?

— Você poderia ir para o Equador.

Ela revirou os olhos.

— Claro, isso não seria ótimo? Eu poderia ir para casa e dizer algo do tipo "desculpem crianças, a partir de agora é por conta de vocês. A mamãe vai viajar por uns tempos". — Ela balançou a cabeça. — Não, por enquanto, não posso fazer nada. Pelo menos até que todos estejam na faculdade. Neste momento, eles precisam do máximo de estabilidade possível.

— Você fala como uma boa mãe.

— Eu tento. Mas meus filhos nem sempre concordam.

— Veja as coisas da seguinte maneira: quando eles tiverem os filhos deles, você poderá se sentir vingada.

— Ah, eu pensei nisso. E já andei praticando. Que tal umas batatinhas antes do jantar? Não, é claro que você não precisa arrumar seu quarto. É claro que você pode ficar acordado até tarde...

Paul voltou a sorrir, pensando no quanto estava gostando daquela conversa. Gostando dela. Sob a luz prateada da tempestade que se aproximava, ela estava linda, e ele ficou imaginando por que o marido a teria deixado.

Eles fizeram o caminho de volta para a casa lentamente, ambos perdidos em seus próprios pensamentos, percebendo os sons e as imagens captadas por seus sentidos, sem qualquer necessidade de falar.

Era uma sensação reconfortante, pensou Adrienne. Muitas pessoas pareciam acreditar que o silêncio era um vazio que precisava ser preenchido, mesmo que nada importante fosse dito. Ela vivera muitas situações desse tipo no interminável circuito de festas e coquetéis que havia frequentado com Jack. Seus momentos favoritos naquela época eram aqueles em que conseguia escapar sem que percebessem e passar alguns instantes em uma varanda solitária. Às vezes encontrava alguém que ela não conhecia, mas, quando percebiam a presença um do outro, acenavam com a cabeça, como se tivessem um pacto secreto. Sem perguntas, sem conversa fiada... fechado.

Ali, na praia, voltara a sentir essa sensação. A noite estava refrescante, a brisa levantava seu cabelo no ar e fazia sua pele brilhar. As sombras se estendiam na areia à sua frente, movimentando-se e mudando, formando imagens quase familiares, que depois desapareciam. O mar parecia um redemoinho de carvão líquido. Paul, ela sabia, também estava absorvendo todas essas coisas; ele também parecia perceber que, naquele momento, uma conversa poderia arruinar tudo.

Caminharam envolvidos por um silêncio amistoso; a cada passo, ia crescendo em Adrienne a certeza de que gostaria de passar mais tempo com ele. Mas isso não parecia algo tão estranho, parecia? Ele estava sozinho e ela também, viajantes solitários apreciando uma faixa deserta de areia em uma cidade litorânea chamada Rodanthe.

Quando chegaram a casa, enfiaram-se na cozinha e tiraram a jaqueta. Adrienne pendurou a sua no cabide que havia ao lado da porta, junto com o cachecol; Paul pendurou a sua ao lado.

Adrienne juntou as mãos e soprou, vendo que Paul havia olhado para o relógio e depois ao redor da cozinha, como se estivesse imaginando se já deveria dizer boa noite.

— Que tal alguma coisa quente para beber? Posso fazer um bule de café — ela ofereceu rapidamente.

— Você tem algum tipo de chá? — ele perguntou.

— Acho que já vi em algum lugar. Vou procurar.

Ela atravessou a cozinha, abriu o armário perto da pia e afastou algumas coisas para o lado, saboreando a ideia de passarem mais algum tempo juntos. Na segunda prateleira havia uma caixa de *Earl Grey* e quando se virou para mostrá-la a Paul, ele acenou com um sorriso. Ela passou por ele para pegar a chaleira, depois a encheu de água, consciente da proximidade dos dois. Quando a chaleira apitou, ela serviu duas xícaras e foram para a sala de estar.

Sentaram-se de novo nas cadeiras de balanço, mas a sala agora estava diferente, pois não havia mais a luz do sol. Como se fosse possível, a sensação de intimidade parecia ainda maior no escuro.

Enquanto tomavam seu chá, ficaram conversando durante uma hora a respeito de generalidades, levados pela conversa fácil de amigos sem muita cerimônia. Com o passar do tempo, entretanto, à medida que a noite avançava, Adrienne percebeu que estava fazendo a ele confidências a respeito de seu pai e dos medos que tinha em relação ao futuro.

Paul já tinha ouvido histórias semelhantes; como médico, encontrava casos como esse regularmente. Mas até aquele momento, tinham sido apenas isso: histórias. Seus pais já estavam mortos e os pais de Martha estavam bem, vivendo na Flórida; mas pela expressão do rosto de Adrienne, sentia-se feliz em saber que não teria de enfrentar um dilema como esse.

— Posso fazer alguma coisa para ajudar? Conheço muitos especialistas que poderiam dar uma olhada no caso e ver se há alguma maneira de ajudá-lo — ele disse.

— Obrigada pela oferta, mas não. Eu já fiz tudo isso. O último derrame realmente o derrubou. Mesmo que houvesse alguma coisa que pudesse ajudar um pouco, acho que ele não poderia viver sem cuidados durante 24 horas por dia.

— E o que é que você vai fazer?

— Eu não sei. Espero que Jack mude de ideia em relação a um aumento na ajuda financeira para meu pai; isso pode acontecer. Meu pai e ele foram muito próximos durante algum tempo. Caso contrário, acho que vou procurar um emprego de período integral para poder pagar as despesas.

— Você acha que não é possível conseguir alguma ajuda da Previdência Social?

Assim que pronunciou as palavras, ele já sabia qual seria a resposta.

— É até possível que ele consiga aprovação para esse tipo de atendimento, mas os bons lugares têm longas listas de espera, e alguns deles ficam a algumas horas de distância, de forma que eu não poderia visitá-lo regularmente. E para colocá-lo em um lugar apenas razoável... eu não poderia fazer isso com ele.

Ela fez uma pausa, os pensamentos se alternando entre o passado e o presente.

— Quando ele se aposentou — ela disse, finalmente —, fizeram uma pequena festa para ele na fábrica, e eu me lembro de ter pensado que iria sentir falta daquela rotina. Tinha começado a trabalhar ali aos 15 anos e, ao longo de todo esse tempo, tinha faltado apenas dois dias por doença. Fiz as contas uma vez e concluí que, somando todas as horas que ele havia passado trabalhando, isso daria quinze anos de vida. Mas, quando perguntei a ele o que achava disso, disse que não sentiria falta nenhuma. Que tinha grandes planos agora que tinha acabado.

A expressão de Adrienne ficou mais suave:

— Ele estava tentando me dizer que planejava fazer as coisas que queria, em vez de fazer apenas o que era obrigado. Passar algum tempo comigo, com os netos, com seus livros ou com amigos. Ele merecia alguns anos de tranquilidade depois de tudo o que havia vivido, e então...

Suas palavras se perderam no ar; ela olhou diretamente para Paul, encarando seus olhos.

— Você iria gostar dele, se o encontrasse. Mesmo agora.

— Tenho certeza de que sim. Mas será que ele iria gostar de mim?

Adrienne sorriu.

— Meu pai gosta de todo mundo. Antes de sofrer os derrames, não havia nada de que gostasse mais do que ouvir as pessoas falarem e descobrir como eram. Tinha uma paciência infinita e, por causa disso, as pessoas sempre se abriam com ele. Até mesmo estranhos. As pessoas contavam a ele coisas que não contariam a mais ninguém, porque sabiam que podiam confiar nele — ela hesitou —, mas quer saber qual é a lembrança mais forte que guardo comigo?

Paul ergueu ligeiramente a sobrancelha.

— Uma coisa que ele costumava me dizer desde que eu era pequena. Não importava se eu tinha ido bem ou mal no que quer que fosse, não importava se eu estava triste ou alegre, meu pai sempre me abraçava e dizia "estou orgulhoso de você".

Ela ficou em silêncio por alguns instantes.

— Eu não sei o que é que essas palavras têm, mas sempre me deixaram emocionada. Acho que ouvi essa frase um milhão de vezes, mas todas as vezes que ele a dizia, eu ficava com a sensação de que ele me amava incondicionalmente. Também é engraçado porque quando fiquei mais velha, costumava brincar com ele por causa disso. Mesmo assim, quando eu estava preparando-me para ir embora, ele repetiu a frase de novo, e eu fiquei toda comovida por dentro.

— Ele parece um homem admirável — Paul comentou, sorrindo.

— Ele é — ela disse, endireitando-se na cadeira — e por causa disso, eu vou dar um jeito para que ele não tenha de se mudar. Aquele é o melhor lugar do mundo para ele. É perto de casa, e o atendimento não é apenas impecável, eles o tratam como um ser humano, não como um paciente. Ele merece um lugar assim, e é o mínimo que posso fazer.

— Ele tem sorte de ter você como filha para cuidar dele.

— Eu também tenho sorte.

Olhando fixamente para a parede, seus olhos pareciam embaçados. Então ela balançou a cabeça, como se percebesse de repente o que estava dizendo.

— Mas veja só o que estou fazendo, falando sem parar. Desculpe.

— Não há motivo algum para pedir desculpas. Foi bom ouvir você contar essas coisas.

Com um sorriso, ela se inclinou ligeiramente para a frente:

— Do que é que você mais sente falta da vida de casado?

— Pelo visto estamos mudando de assunto.

— Eu acho que agora é a sua vez de falar.

— Bem, acho que é o mínimo que posso fazer.

Ela ergueu os ombros.

— Conte alguma coisa. Agora que lavei a alma, é a sua vez de colocar alguma coisa pra fora.

Paul soltou um suspiro e olhou para o teto.

— Tudo bem, do que é que eu sinto falta? — ele juntou as mãos e então começou a falar — acho que de saber que havia alguém esperando por mim quando chegava do trabalho. Normalmente eu chegava muito tarde, e às vezes Martha já estava na cama. Mas o fato de saber que ela estava lá parecia algo natural e reconfortante, como se as coisas tivessem de ser assim. E quanto a você?

Adrienne colocou a xícara de chá na mesinha entre eles.

— As coisas de sempre. Alguém com quem conversar, com quem dividir as refeições, aqueles beijos rápidos trocados pela manhã antes de escovarmos os dentes. Mas, honestamente, em relação às crianças, estou mais preocupada com o que eles estão perdendo do que comigo. Sinto falta de ter o Jack por perto mais por causa deles. Acho que crianças pequenas precisam mais da mãe do que do pai, mas os adolescentes precisam dos pais. Principalmente as meninas. Eu não quero que a minha filha pense que os homens são idiotas que abandonam suas famílias; mas como vou mostrar isso a ela se foi o que o próprio pai dela fez?

— Eu não sei.

Adrienne balançou a cabeça.

— Os homens pensam nessas coisas?

— Os bons pensam. Como em tudo mais.

— Quanto tempo vocês ficaram casados?

— Trinta anos. E vocês?

— Dezoito.

— Se fôssemos nós dois, você acha que teríamos conseguido dar um jeito?

— Como? Encontrando a chave para a felicidade eterna? Acho que isso não existe mais.

— Não, acho que você tem razão.

No corredor, o relógio de pêndulo começou a repicar as horas. Quando parou, Paul esfregou a nuca, tentando aliviar a tensão da viagem.

— Acho que está na hora de desligar. Amanhã será um longo dia.

— Eu sei — ela concordou, — estava pensando exatamente a mesma coisa.

Mas eles não se levantaram imediatamente. Em vez disso, ficaram ali sentados por mais alguns minutos, envolvidos pelo mesmo silêncio que haviam compartilhado na praia. Ele chegou a olhar para ela algumas vezes, mas virou o rosto antes que ela percebesse.

Exalando um suspiro, Adrienne se levantou da cadeira e apontou para a xícara dele.

— Pode deixar que eu levo a xícara para a cozinha. Estou indo para lá.

Ele sorriu, e a entregou a ela:

— Foi uma noite muito agradável.

— Para mim também.

Adrienne ficou observando Paul enquanto ele subia as escadas; pouco depois, ela começava a fechar a pousada.

No quarto, ela tirou as roupas e abriu a mala, procurando pelo pijama. Enquanto fazia isso, captou o reflexo de sua imagem no espelho. Nada mau, mas, honestamente, ela aparentava ter a idade que tinha. Paul, ela pensou, tinha sido gentil ao dizer que ela não precisava fazer nada.

Fazia muito tempo que alguém fizera com que se sentisse atraente.

Ela vestiu o pijama e enfiou-se na cama. Jean tinha uma pilha de revistas na mesa de cabeceira e ela passou os olhos por algumas matérias antes de apagar a luz. Na escuridão, não conseguia parar de pensar na noite que havia tido. Ficou repassando as conversas inúmeras vezes em sua mente; ela conseguia ver o jeito como os cantos de sua boca se alteravam ligeiramente para formar um sorriso todas as vezes que Paul dizia algo bem-humorado. Durante uma hora, ela ficou se virando e mexendo na cama, sem conseguir dormir, cada vez mais frustrada e alheia ao fato de que no quarto acima dela, estava acontecendo exatamente a mesma coisa com Paul Flanner.

Capítulo nove

Apesar de ter fechado as persianas e as cortinas para evitar a entrada da luz do sol, Paul acordou com o raiar da sexta-feira e passou cerca de dez minutos se alongando para aliviar as dores do corpo.

Então, abriu as persianas para receber a manhã. Havia uma névoa espessa cobrindo a água, e o céu estava cinza-chumbo. Nuvens densas estavam espalhadas, deslizando paralelamente à praia. A tempestade, ele pensou, chegaria antes do anoitecer, muito provavelmente no meio da tarde.

Ele se sentou na beirada da cama e vestiu um agasalho de corrida, depois colocou por cima uma jaqueta de *nylon*. Da gaveta, tirou outro par de meias e colocou nas mãos. Depois de descer em silêncio as escadas, olhou em volta e percebeu que Adrienne ainda não tinha acordado. Sentiu certo desapontamento por não vê-la, e então disse a si mesmo que isso não tinha importância. Abriu a porta, e um minuto depois estava caminhando a passos largos, aquecendo o corpo antes de passar para um ritmo mais compassado.

Do seu quarto, Adrienne ouviu quando ele desceu os degraus barulhentos. Sentando-se na cama, afastou as cobertas e enfiou os pés nas sandálias, pensando que poderia pelo menos ter feito um café para Paul antes de ele se levantar. Ela não tinha certeza de que ele iria querer alguma coisa antes de correr, mas poderia ao menos ter oferecido.

Lá fora, Paul sentiu que os músculos e as juntas começavam a relaxar e acelerou o ritmo. Não era nada próximo do que fazia nos seus 20, 30 anos, mas era firme e revigorante.

Ele havia atingido um ponto em que correr não representava qualquer dificuldade; para ele, correr quinze quilômetros exigia quase tanta energia quanto a leitura do jornal. A corrida nunca fora apenas um exercício, pelo contrário, era uma forma de meditação, uma das poucas ocasiões em que podia ficar sozinho.

E a manhã estava maravilhosa para uma corrida. Apesar de ter chovido durante a noite e os vidros dos carros ainda estarem molhados, as ruas já estavam secas, indicando que a chuva havia passado rapidamente por aquela região. A cerração resistia ao amanhecer e passava de uma casinha para outra em uma procissão fantasmagórica. Ele bem que gostaria de estar correndo na praia, pois não era sempre que tinha essa oportunidade, mas havia decidido aproveitar a corrida para encontrar a casa de Robert Torrelson. Ele fez sua corrida ao longo da estrada, passando pelo centro da cidade, depois virou na primeira esquina, deixando que seus olhos absorvessem a cena.

Em sua avaliação, Rodanthe era exatamente o que parecia ser: uma velha vila de pescadores à beira-mar, um lugar onde a vida moderna havia penetrado com muita lentidão. Todas as casas eram feitas de madeira, e apesar de algumas estarem em melhor estado de conservação do que outras, com jardins pequenos e bem cuidados e um pequeno caminho de terra onde deviam florescer as plantas na primavera, para onde quer que olhasse eram evidentes os sinais da aspereza da vida no litoral. Até mesmo as casas que não deviam ter mais do que uma década pareciam velhas e decadentes. As cercas e as caixas do correio tinham pequenos buracos feitos pela maresia, a pintura estava descascando, os telhados de zinco exibiam linhas longas e largas de ferrugem. Espalhados nos quintais que ficavam diante das casas, várias coisas integravam o dia a dia nessa parte do mundo: pequenos barcos e motores quebrados, redes de pesca usadas como decoração, cordas e correntes usadas para manter os estranhos a distância.

Algumas casas não passavam de barracos, e as paredes pareciam ter um equilíbrio precário, como se uma ventania mais forte pudesse levar os telhados. Em alguns casos, as varandas tinham começado a ceder e estavam apoiadas sobre um conjunto de objetos que impediam que desabassem totalmente: blocos de concreto ou uma pilha de tijolos; tábuas que saíam de baixo como se fossem *hashis*.

Mas havia muita atividade por ali, já ao amanhecer, mesmo naquelas casas que pareciam abandonadas. Enquanto corria, ele via a fumaça saindo das chaminés e observava homens e mulheres cobrindo as janelas com tábuas de madeira. O barulho das marteladas tinha começado a encher o ar.

Ele virou no quarteirão seguinte, conferiu a placa da rua e continuou correndo. Alguns minutos depois, virou na rua em que vivia Robert Torrelson. Ele sabia que Robert Torrelson morava no número 34.

Passou pelo número 18, depois pelo 20 e ergueu os olhos, olhando para a frente. Alguns dos vizinhos interromperam seu trabalho e ficaram olhando para ele enquanto passava correndo, com os olhos desconfiados. Pouco depois, ele chegou à casa de Robert Torrelson, tentando disfarçar ao olhar para ela.

Era uma casa idêntica a quase todas as outras da rua: não era exatamente bem cuidada, mas também não era um barraco. Na verdade, ficava no meio termo, algo como um impasse na luta do homem com a natureza pelo controle da casa. A construção devia ter pelo menos cinquenta anos, era uma casa térrea com telhado de zinco; sem calhas para escoar a água, a chuva de milhares de tempestades havia manchado a pintura branca com cinza. Na varanda, duas cadeiras de balanço gastas pelo tempo voltadas uma para a outra. Em torno das janelas, havia uma fileira solitária de luzes natalinas.

No fundo da propriedade, havia uma pequena construção com as portas abertas. Dentro, duas mesas de trabalho cobertas com redes e varas de pescar, caixas e ferramentas. Havia dois ganchos de ferro encostados na parede e um casaco impermeável amarelo pendurado em um cabide logo na entrada. Saindo das sombras às suas costas, surgiu um homem carregando um balde.

A figura pegou Paul de surpresa; virou-se antes que o homem pudesse ver que ele estava olhando. Era cedo demais para fazer uma visita, e também não queria fazê-lo com roupas de correr. Em vez disso, ergueu o queixo na direção da brisa, virou na esquina seguinte e tentou retomar o ritmo anterior.

Não foi fácil. A imagem do homem continuou com ele, fazendo-o sentir-se sem energia, cada passo mais difícil que o anterior. Apesar do frio, quando parou de correr, havia uma fina camada de suor em seu rosto.

Ele fez os últimos metros até a pousada caminhando, deixando que suas pernas relaxassem. Da estrada, pôde ver que as luzes da cozinha estavam acesas.

Sabendo o que isso queria dizer, ele sorriu.

Enquanto Paul estava fora, os filhos de Adrienne tinham ligado e ela havia passado alguns minutos falando com cada um deles, feliz com o fato de eles estarem se divertindo com o pai. Pouco depois, na primeira hora, ela telefonou para o abrigo de idosos.

Embora seu pai não pudesse atender ao telefone, ela havia combinado com Gail, uma das enfermeiras, que respondesse por ele, por isso ela atendeu no segundo toque.

— Bem na hora — disse Gail —, eu estava justamente dizendo ao seu pai que você telefonaria a qualquer minuto.

— Como ele está hoje?

— Está um pouco cansado, mas, fora isso, está muito bem. Espere um pouco que vou colocar o fone no ouvido dele, Ok?

Um minuto depois, ao ouvir o som ofegante da respiração do pai, Adrienne fechou os olhos.

— Oi, papai — ela começou.

Durante vários minutos conversou com ele, como faria se tivesse ido até lá. Falou a respeito da pousada e da praia, das nuvens de tempestade e dos relâmpagos. Apesar de não mencionar o nome de Paul, ficou imaginando se seu pai estaria percebendo o mesmo tremor que ela sentia na voz enquanto dava voltas evitando pronunciar seu nome.

Paul subiu os degraus e entrou na casa, o aroma de *bacon* se espalhando pelo ar, como que lhe dando as boas-vindas. Pouco depois, Adrienne empurrou a porta de vaivém.

Ela estava usando *jeans* e um suéter azul-claro que acentuava a cor de seus olhos. Sob a luz da manhã, eram quase turquesa, fazendo-o lembrar-se dos raios de luz no céu da primavera.

— Você levantou cedo — ela disse, colocando uma mecha de cabelo solta atrás da orelha.

Para Paul, o gesto pareceu estranhamente sensual, e ele limpou o suor da sobrancelha.

— É, eu queria tirar logo a minha corrida diária do caminho antes que o dia começasse.

— E foi tudo bem?

— Já me senti melhor, pelo menos está feita — ele mudou o peso de uma perna para outra. — Aqui dentro o cheiro está delicioso.

— Comecei a fazer o café enquanto você estava fora — ela apontou por cima do ombro, — você quer comer agora ou prefere esperar um pouco?

— Prefiro tomar um banho primeiro, se você não se importa.

— Tudo bem. Eu estava pensando em fazer um mingau e isso leva uns vinte minutos, pelo menos. Como você quer os seus ovos?

— Mexidos?

— Acho que consigo fazer — ela parou, apreciando a franqueza de seu olhar, deixando que ele a fitasse por mais um minuto. — Deixe-me ver o *bacon* antes que torre — ela disse, finalmente —, vejo você daqui a pouco?

— Claro.

Depois de vê-la afastar-se, Paul subiu as escadas até seu quarto, balançando a cabeça, pensando em como ela parecia simpática. Ele tirou as roupas, lavou a camiseta na pia e pendurou-a no suporte da cortina do box e então abriu a torneira. Como Adrienne já tinha avisado, demorou um pouco até sair água quente.

Tomou banho, fez a barba, vestiu uma calça cáqui, uma camiseta pólo, um sapato esporte tipo mocassim, e foi encontrar-se com ela. Na cozinha, Adrienne havia colocado a mesa e sobre ela estava colocando as duas últimas travessas, uma com torradas e outra com frutas fatiadas. Quando passou ao lado dele, Paul sentiu um leve aroma de jasmim do xampu que ela havia usado para lavar o cabelo naquela manhã.

— Espero que não se importe por eu me sentar à mesa com você de novo.

Paul puxou a cadeira para ela.

— De modo algum. Na verdade, eu estava contando com isso. Por favor — ele fez um sinal para que se sentasse.

Ela deixou que ele empurrasse a cadeira, e então observou-o enquanto também se sentava.

— Eu tentei surrupiar um jornal, mas, quando cheguei à mercearia, já não havia mais nenhum.

— Isso não me surpreende. Havia muita gente na rua agora cedo. Acho que está todo mundo tentando adivinhar o que irá acontecer hoje.

— Não me parece muito pior do que estava ontem.

— Isso porque você não vive aqui.

— Você também não vive aqui.

— Não, mas eu já tive de enfrentar uma grande tempestade. Por falar nisso, eu já lhe contei da época em que estava na faculdade e fui para Wilmington...

Adrienne riu:

— E você jurou que nunca tinha contado essa história.

— Acho que agora que quebrei o gelo ficou mais fácil. E é a única história boa que eu tenho. O resto é muito chato.

— Eu duvido. Pelo que você me contou, acho que sua vida pode ter sido tudo, menos chata.

Ele sorriu, sem saber se aquilo era um cumprimento, mas satisfeito, de qualquer forma.

— O que Jean disse que deveria ser feito hoje?

Adrienne se serviu de um pouco dos ovos e passou a travessa para ele.

— Bem, a mobília das varandas precisa ser guardada no depósito. As janelas precisam ser fechadas e as persianas trancadas por dentro. Depois, as proteções contra furacões têm de ser montadas. Aparentemente, elas se encaixam e há alguns ganchos para segurá-las no lugar; depois disso, é preciso prendê-las com placas de madeira. Essas madeiras devem estar guardadas com as proteções para furacão.

— Ela deve ter uma escada, eu espero.

— Está debaixo da casa, também.

— Não me parece tão ruim. Mas, como eu disse ontem, ficarei feliz em ajudá-la a fazer tudo isso depois que voltar.

Ela olhou para ele.

— Tem certeza? Você não precisa fazer isso.

— Não se preocupe. Não planejei fazer mais nada, de qualquer maneira. E, para ser franco, eu não conseguiria ficar sentado aqui dentro vendo você fazer todas essas coisas. Eu me sentiria culpado, mesmo sendo um hóspede.

— Obrigada.

— Sem problemas.

Eles terminaram de se servir, encheram as xícaras de café e começaram a comer. Paul observou enquanto ela passava manteiga na torrada, absorvido momentaneamente por aquela tarefa. Sob a luz acinzentada da manhã, ela era bonita, ainda mais bonita do que lhe parecera no dia anterior.

— Você vai falar com aquela pessoa de quem falou ontem?

Paul fez que sim com a cabeça.

— Depois do café.

— Você não parece muito feliz com isso.

— Eu não sei se devo ficar feliz ou não.

— Por quê?

Após uma breve hesitação, ele contou a ela a história de Jill e Robert Torrelson — a operação, a autópsia e tudo o que acontecera depois, incluindo o bilhete que recebera pelo correio. Quando terminou, Adrienne parecia estar estudando sua expressão.

— E você não faz ideia do que ele pode estar querendo?

— Imagino que seja alguma coisa a respeito do processo.

Adrienne não tinha tanta certeza disso, mas não disse nada. Em vez disso, tomou um pouco de café.

— Bem, não importa o que aconteça, acho que está fazendo a coisa certa. Assim como está fazendo em relação a Mark.

Ele não disse nada, mas também não era preciso. O fato de ela entender era mais do que suficiente.

Era tudo o que ele esperava das pessoas naqueles dias e, apesar de tê-la conhecido apenas na véspera, sentia que de alguma forma ela já o conhecia melhor do que muita gente. Ou talvez, ele pensou, melhor do que qualquer outra pessoa.

Capítulo dez

Depois do café, Paul entrou no carro e procurou as chaves no bolso do casaco. Da varanda, Adrienne acenou, como se lhe desejasse boa sorte. Pouco depois, olhou para trás por cima do ombro e começou a sair com o carro.

Chegou à rua de Torrelson em poucos minutos; embora pudesse ter vindo a pé, não sabia com que velocidade o tempo poderia piorar e não queria ser pego pela chuva. Também não queria se sentir preso caso o encontro começasse a ir mal. Apesar de não ter certeza do que esperar, resolveu que iria contar a Torrelson tudo o que havia acontecido em relação à operação, mas não iria fazer especulações a respeito do que teria causado a morte de sua esposa.

Reduziu a velocidade do carro, estacionou na beira da estrada e desligou o motor. Depois de levar alguns segundos para se preparar, saiu e começou a andar. Um vizinho da casa ao lado tinha subido em uma escada e estava martelando uma tábua sobre uma janela. Ele olhou para Paul, tentando imaginar quem poderia ser. Paul ignorou o olhar; quando chegou à porta de Torrelson, bateu e deu um passo atrás, dando a si mesmo algum espaço.

Como ninguém viesse abri-la, bateu de novo, desta vez prestando atenção para ver se ouvia algum barulho lá dentro. Nada. Foi até a lateral da varanda. Embora as portas da construção que ficava nos fundos da casa ainda estivessem abertas, não viu ninguém. Ele pensou em chamar em voz alta, mas desistiu da ideia. Em vez disso, foi até o porta-malas de seu carro e abriu-o. Tirou uma caneta e um pedaço de papel de um dos cadernos de seu *kit* médico.

Escreveu seu nome e o nome do lugar onde estava hospedado, e disse em poucas palavras que ficaria na cidade até terça de manhã, caso Robert ainda quisesse falar com ele. Depois, dobrando o papel, deixou o bilhete na varanda da frente, prendendo-o no batente para que não fosse levado pelo vento. Estava voltando para o carro, sentindo-se ao mesmo tempo decepcionado e aliviado, quando ouviu uma voz atrás dele.

— Posso ajudar?

Ao virar-se, Paul não reconheceu o homem parado ao lado da casa. Embora não se lembrasse da aparência de Robert Torrelson — seu rosto parecia comum a milhares de pessoas —, ele sabia que jamais havia visto aquela pessoa. Era um homem jovem na casa dos 30, macilento, cabelo preto ralo, vestindo *jeans* surrados e um blusão de agasalho. Estava olhando para ele com o mesmo olhar desconfiado com que o vizinho tinha olhado há pouco.

Paul limpou a garganta.

— Estou procurando por Robert Torrelson. Estou na casa certa? — perguntou.

O jovem acenou com a cabeça sem mudar a expressão do rosto.

— É, ele mora aqui. É o meu pai.

— Ele está?

— Você é do banco?

Paul balançou a cabeça.

— Não. Meu nome é Paul Flanner.

O jovem levou alguns segundos até reconhecer o nome. Então, apertou os olhos.

— O médico?

Paul fez que sim.

— Seu pai mandou uma carta dizendo que queria falar comigo.

— Para quê?

— Eu não sei.

— Ele não me falou nada de carta nenhuma.

Enquanto o rapaz falava, seus músculos foram enrijecendo.

— Pode dizer a ele que estou aqui?

O jovem colocou o dedo dentro do cinto.

— Ele não está.

Ao dizer isso, dirigiu o olhar na direção da casa, e Paul ficou imaginando se ele estaria dizendo a verdade.

— Poderia ao menos dizer a ele que passei por aqui? Deixei um bilhete na porta dizendo onde ele pode me encontrar.

— Ele não quer falar com você.

Paul olhou para baixo e depois voltou a erguer o olhar.

— Acho que ele é quem tem de decidir isso, você não acha?

— Quem você pensa que é? Acha que pode vir até aqui e dar sua versão para o que fez? Como se tivesse sido apenas um erro ou coisa assim?

Paul não disse nada. Percebendo sua hesitação, o jovem deu um passo em sua direção e continuou a falar, elevando o tom da voz.

— Saia daqui imediatamente! Eu não quero ver você rondando por aí, e meu pai também não.

— Está bem... Ok...

O rapaz alcançou uma pá que estava ali perto e Paul levantou as mãos, recuando.

— Estou indo...

Ele se virou e começou a andar na direção do carro.

— E não volte — gritou o rapaz, — você não acha que já fez o bastante? A minha mãe está morta por sua causa.

Paul vacilou ao ouvir aquelas palavras, sentindo a agressividade, e então entrou no carro. Depois de ligar o motor, saiu sem olhar para trás.

Não viu quando o vizinho desceu da escada para vir conversar com o rapaz; não viu o rapaz atirar a pá e não viu a cortina se mexendo dentro da casa.

Ele também não viu quando a porta da frente se abriu e quando a mão enrugada pegou o bilhete que havia caído na varanda.

Minutos depois, Adrienne ouvia de Paul o que havia acontecido. Estavam na cozinha, Paul estava apoiado no balcão, os braços cruzados enquanto olhava pela janela. Sua expressão era vazia, totalmente absorta; parecia muito mais cansado do que no começo da manhã. Quando acabou de falar, o rosto de Adrienne revelou uma mistura de simpatia e preocupação.

— Pelo menos você tentou — ela disse.

— E isso foi muito bom, não?

— Talvez ele não soubesse a respeito da carta do pai.

Paul balançou a cabeça.

— Não é só isso. Tem a ver com as razões que me trouxeram até aqui, antes de qualquer coisa. Eu queria ver se conseguia resolver esse assunto ou pelo menos torná-lo compreensível, mas acho que não vou ter sequer uma chance.

— A culpa não é sua.

— Então por que me sinto assim?

No silêncio que se seguiu, Adrienne conseguiu ouvir o tique-taque do relógio.

— Porque você se importa. Porque você mudou.

— Nada mudou. Eles ainda acham que eu a matei — suspirou —, você consegue imaginar como alguém se sente sabendo que pensam uma coisa dessas a seu respeito?

— Não — ela admitiu —, não consigo. Nunca tive de passar por uma coisa dessas.

Paul acenou com a cabeça, parecendo arrasado.

Adrienne ficou observando para ver se a expressão dele mudava, mas, como isso não aconteceu, surpreendendo a si mesma, aproximou-se dele e pegou sua mão. No começo estava rígida, mas depois ele relaxou e ela sentiu seus dedos se enroscarem nos dela.

— Por mais difícil que seja aceitar isso, e não importa o que os outros digam — ela falou, com todo o cuidado —, você precisa entender que, mesmo se tivesse falado com o pai esta manhã, provavelmente não conseguiria mudar a cabeça do filho. Ele está magoado, e é mais fácil jogar a culpa em alguém, como você, do que aceitar o fato de que para a mãe dele tinha chegado a hora. Não importa o que você pensa, mas foi muito importante ter ido até lá.

— E por quê?

— Você ouviu o que o filho tinha a dizer. Mesmo que ele esteja errado, você lhe deu uma oportunidade para expressar seus sentimentos; permitiu que ele colocasse isso para fora do peito, no fundo, talvez fosse isso o que o pai queria que acontecesse. Como ele sabe que o caso não irá a julgamento, queria que você ouvisse a versão deles pessoalmente. Para saber como se sentem.

Paul exibiu um meio sorriso.

— Isso faz com que eu me sinta muito melhor.

Adrienne apertou a mão dele.

— O que você achava que iria acontecer? Que eles iriam ouvir o que você tem a dizer e aceitariam rapidamente a sua versão? Depois de terem contratado um advogado e insistido com um processo, mesmo sabendo que não teriam qualquer chance? Depois de terem ouvido tudo o que os outros médicos disseram? Eles queriam que você viesse para poder ouvir o que eles tinham a dizer. E não o contrário.

Paul não disse nada, mas no fundo sabia que ela estava certa. Por que, então, não tinha percebido isso antes?

— Eu sei que não deve ter sido fácil ouvir uma coisa dessas — ela prosseguiu — e sei que eles estão errados, e que não é justo jogar a culpa do que aconteceu em você. Mas hoje você lhes deu uma coisa importante, e mais do que isso, foi algo que você não precisava fazer. Acho que você pode se orgulhar disso.

— Nada do que aconteceu parece ter surpreendido você, certo?

— Na verdade, não.

— Você sabia disso hoje de manhã? Quando eu lhe falei a respeito deles?

— Eu não tinha certeza, mas imaginei que fosse acontecer uma coisa dessas.

Um leve sorriso cruzou o rosto de Paul.

— Você é uma coisa, sabia?

— Uma coisa boa ou uma coisa ruim?

Ele apertou a mão de Adrienne, pensando que gostava daquela sensação. Parecia natural, como se estivesse segurando a mão dela há anos.

— Uma coisa ótima.

Ele se virou para olhar para ela, sorrindo, e Adrienne de repente percebeu que ele estava pensando em beijá-la. Apesar de ser esse também o desejo de uma parte dela, o lado racional subitamente lembrou-a de que era sexta-feira, que eles haviam se conhecido no dia anterior, e que logo iriam embora dali. Além disso, aquela não era ela de verdade, era? Aquela não era a Adrienne real — a mãe e filha preocupada, ou a esposa que havia sido trocada por outra mulher, ou a senhora que organizava os livros da biblioteca. Neste fim de semana era alguém completamente diferente, alguém que ela mal reconhecia. O tempo passado ali parecia um sonho e, embora os sonhos fossem agradáveis, ela lembrou a si mesma que eram apenas isso e nada mais.

Recuou um passo. Ao soltar sua mão, ela percebeu um lampejo de decepção nos olhos dele, que desapareceu quando ele desviou o olhar.

Ela sorriu, obrigando-se a manter a voz firme.

— Você ainda está com disposição para me ajudar com a casa? Quer dizer, antes que chegue o temporal?

— Claro. Só vou colocar uma roupa de briga.

— Você tem tempo. Preciso ir à loja primeiro. Esqueci-me de trazer gelo e uma geladeira de isopor para conservar a comida se ficarmos sem luz.

— Tudo bem.

Ela parou.

— Você vai ficar bem?

— Claro que sim.

Ela esperou um pouco, para ter certeza de que podia acreditar nele, e depois se afastou. Sim, ela disse para si mesma, tinha feito a coisa certa. Estava certa em ter se afastado, em ter soltado a mão.

Mesmo assim, enquanto deixava a casa, não conseguia evitar a sensação de que tinha deixado escapar uma chance de encontrar um pouco da felicidade de que sentia falta há tanto tempo.

Paul estava no andar de cima quando ouviu Adrienne dar a partida no carro. Virando-se para a janela, ficou olhando a arrebentação das ondas, enquanto tentava entender o que havia acontecido. Poucos minutos antes, ao olhar para ela, tinha sentido algo especial, mas que desaparecera tão depressa quanto surgira, e a expressão de seu rosto revelara o motivo.

Ele podia entender as reservas de Adrienne, afinal de contas, eles viviam em um mundo definido por limites, e nem sempre havia lugar para a espontaneidade, para as tentativas impulsivas que procuravam viver o momento. Ele sabia que isso era o que permitia uma certa ordem na vida de uma pessoa, embora suas ações nos últimos meses tivessem sido uma tentativa para desafiar esses limites, para rejeitar a ordem que ele havia incorporado há tanto tempo.

Não era justo de sua parte esperar a mesma coisa dela. Ela estava em outra situação; tinha responsabilidades e, como havia deixado claro no dia anterior, essas responsabilidades exigiam que tivesse uma vida estável e planejada. Ele também havia sido assim, e apesar de agora estar em uma situação em que sua vida era ditada por regras diferentes, esse não era o caso de Adrienne.

Entretanto, alguma coisa havia mudado durante o breve período em que estava ali. Ele não tinha certeza de quando havia acontecido. Poderia ter sido no dia anterior, quando caminharam pela praia, ou quando ela lhe falou pela primeira vez a respeito de seu pai, ou até mesmo naquela manhã, quando tomaram o café juntos sob a luz suave da cozinha. Ou talvez tivesse acontecido quando ele percebeu que estava segurando a sua mão, em pé junto dela, desejando apenas cobrir os lábios dela com os seus.

Isso não tinha importância. A única coisa que ele sabia com certeza era que estava começando a se apaixonar por uma mulher chamada Adrienne, que estava tomando conta da pousada para uma amiga em uma pequena cidade costeira da Carolina do Norte.

Capítulo
onze

Robert Torrelson sentou-se diante da velha escrivaninha na sala de estar, enquanto o filho pregava as janelas do fundo da casa. Em suas mãos, tinha o bilhete de Paul Flanner, que abria e fechava distraidamente, ainda pensando no fato de ele ter vindo.

Apesar de ter enviado a carta, tinha certeza de que Paul Flanner iria ignorá-la. Flanner era um médico poderoso da cidade grande, representado por advogados de gravatas vistosas e cintos caros, e há anos tinha a impressão de que nenhum deles dava a mínima para ele ou para sua família. Os camaradas ricos da cidade eram assim; quanto a ele, estava feliz por nunca ter sido obrigado a conviver com gente que vivia da burocracia e que não se sentia à vontade se a temperatura no trabalho não estivesse em 23 graus. Também não gostava de lidar com pessoas que se consideravam melhores do que as outras porque tinham mais estudo ou mais dinheiro ou uma casa maior. Paul Flanner, quando o encontrara logo depois da cirurgia, parecia ser uma pessoa desse tipo. Ele era formal e distante e, apesar de ter se explicado, a maneira seca com que havia dito as palavras havia deixado

Robert com a sensação de que ele não iria perder um minuto de sono pelo que tinha acontecido.

E isso não estava certo.

Robert havia tido uma vida com outros valores, valores que haviam sido honrados por seu pai, por seu avô e por seu bisavô antes dele. Ele poderia voltar duzentos anos no tempo para falar de seus ancestrais na região de Outer Banks. Geração após geração, eles pescaram nas águas do rio Pamlico desde a época em que os peixes eram tão abundantes que uma pessoa poderia jogar uma rede simples e pegar peixes suficientes para encher a panela. Mas isso tudo havia mudado. Agora existiam cotas, regulamentações, licenças e grandes companhias, todas em busca do peixe cada vez mais escasso. Atualmente, quando Robert saía com o barco, já se sentia satisfeito se conseguisse o bastante para pagar o combustível.

Robert Torrelson estava com 67 anos, mas parecia dez anos mais velho. Seu rosto estava gasto e manchado, e seu corpo estava lentamente perdendo a batalha contra o tempo. Tinha uma grande cicatriz que ia do olho esquerdo até a orelha. Sua mão doía por causa da artrite, e não tinha mais o dedo anelar da mão direita desde que ficara preso em um molinete enquanto arrastava as redes.

Mas Jill não se importava com nada disso. E agora ela não estava mais ali.

Havia uma fotografia sua sobre a escrivaninha e Robert ainda se surpreendia olhando para ela sempre que ficava sozinho na sala. Sentia falta de tudo o que dizia respeito a ela; sentia falta da maneira como esfregava seus ombros depois que chegava em casa nas noites frias de inverno, sentia falta de quando se sentavam na varanda para ouvir música no rádio, sentia falta do seu cheiro depois que ela se empoava, um odor tão simples e puro, fresco como o de um recém-nascido.

Paul Flanner havia lhe tirado tudo isso. Ele sabia que Jill ainda estaria com ele se não tivesse ido para o hospital naquele dia.

Seu filho tivera a sua vez. Agora tinha chegado a hora de ter a sua.

Adrienne percorreu a pequena distância até a cidade e deixou o carro no pequeno estacionamento de cascalho do armazém geral, suspirando de alívio ao ver que ainda estava aberto.

Havia três carros estacionados aleatoriamente, todos cobertos com uma fina camada de sal. Alguns homens mais velhos usando bonés de beisebol estavam parados na frente, fumando e tomando café. Pararam de falar e ficaram observando quando Adrienne saiu do carro; quando ela passou por eles para entrar na loja, todos a cumprimentaram com um aceno de cabeça.

A loja era típica das áreas rurais: piso de madeira riscado, ventiladores de teto, prateleiras abarrotadas com uma infinidade de coisas de todos os tipos. Perto do caixa havia um pequeno barril de pepino em conserva; do lado, outro barril com amendoins torrados. Nos fundos, uma pequena grelha atendia quem quisesse comer um hambúrguer feito na hora e também sanduíches de peixe, e, apesar de não haver ninguém atrás do balcão, o odor de comida estava no ar.

A máquina de sorvete ficava no canto do outro lado, perto dos compartimentos refrigerados com cerveja e refrigerante, e Adrienne seguiu nessa direção. Ao estender o braço para abrir a porta da máquina de gelo, captou um reflexo de si mesma no vidro da porta. Parou por uns instantes, como se estivesse olhando para si mesma com os olhos de outra pessoa.

Fazia quanto tempo, ela perguntou a si mesma, que alguém demonstrava que a achava atraente? Ou que alguém que tinha acabado de conhecer sentia vontade de beijá-la? Se alguém lhe tivesse feito essas perguntas antes de entrar ali, teria respondido que nenhuma dessas coisas havia acontecido desde que Jack saíra de casa. Mas não se podia dizer que isso fosse exatamente a verdade. Não nesse sentido, pelo menos. Jack era seu marido e não um estranho, e, desde a época do namoro, que durou dois anos até subirem ao altar, podia-se dizer que há praticamente vinte e três anos ela não vivia algo desse tipo.

É claro que, se Jack não tivesse ido embora, ela poderia continuar levando a vida sabendo disso sem se preocupar; mas, às vezes, achava que isso seria impossível. Mais da metade da sua vida havia se passado sem o interesse de um homem atraente, e, por mais que quisesse se convencer de que os motivos que a levaram a se afastar tinham a ver com bom-senso, ela não conseguia evitar a ideia de que o fato de estar sem prática há vinte e três anos também havia contribuído para isso.

Ela se sentia atraída por Paul, não podia negar. E não era apenas por ele ser bonito e interessante, e até mesmo charmoso com seu jeito tranquilo. E também não era só pelo fato de ele ter feito com que se sentisse desejável. Não, o que ela considerava mais atraente era sua vontade genuína de mudar, de ser uma pessoa melhor do que havia sido. Ela tivera a oportunidade de conhecer muitas pessoas como ele antes — assim como os médicos, os advogados costumam ser notórios viciados em trabalho —, mas nunca havia encontrado alguém que não só tivesse decidido mudar as regras que sempre haviam regido sua vida, como também estivesse fazendo isso de uma maneira a que a maioria das pessoas teria horror só de pensar.

Havia algo de nobre nessa atitude, ela pensou. Ele queria consertar as falhas que via em si mesmo, queria resgatar a relação com seu filho, tinha vindo até ali porque um estranho que estava tentando conseguir uma reparação havia lhe enviado uma carta pedindo que viesse.

Que tipo de pessoa faria coisas assim? Que tipo de força seria necessária para algo desse tipo? Ou coragem? Mais do que ela mesma tinha, pensou Adrienne. Mais do que qualquer outra pessoa que ela conhecesse, e por mais que quisesse negar, sentia-se grata pelo fato de alguém como ele considerá-la atraente.

Enquanto refletia a respeito dessas coisas, Adrienne pegou os dois últimos pacotes de gelo e uma geladeira de isopor e levou tudo até o caixa. Depois de pagar, saiu da loja e caminhou até o carro. Um dos homens mais velhos ainda estava sentado na varanda quando ela saiu. Ao acenar para ele, tinha no rosto a estranha expressão de alguém que havia ido a um funeral e a um casamento no mesmo dia.

Durante sua breve ausência, o céu tinha ficado ainda mais escuro quando ela desceu do carro. O vento movimentava-se com força ao redor da pousada, produzindo um som fantasmagórico, como uma flauta espectral tocando uma nota só. As nuvens giravam e se juntavam no céu, mudando de forma enquanto passavam acima de sua cabeça. O mar estava coberto pelas cristas brancas das ondas que se aproximavam pesadamente passando a marca de mar alto do dia anterior.

Enquanto pegava o gelo, Adrienne viu Paul aparecer por trás do portão.

— Você começou sem mim? — ela gritou.

— Não, não exatamente. Eu só estava tentando encontrar tudo de que vamos precisar — ele apontou para os pacotes —. Você precisa de ajuda?

Adrienne sacudiu a cabeça.

— Pode deixar. Não é tão pesado — ela apontou para a porta. — Mas temos de começar. Você se importa se eu for até seu quarto para trancar as venezianas?

— Não, pode ir. Eu não me importo.

Dentro da casa, Adrienne colocou o isopor perto da geladeira, abriu os pacotes de gelo com uma faca de carne e encheu o isopor. Pegou um pouco de queijo, a fruta que havia sobrado do café da manhã e o frango da noite anterior, cobriu-os com gelo, pensando que aquilo não era exatamente a refeição de um *gourmet*, mas que seria muito bom se não tivessem mais nada. Então, percebendo que ainda havia espaço, pegou uma das garrafas de vinho e colocou-a por cima, sentindo um leve tremor ante a ideia de compartilhar o vinho com Paul mais tarde.

Forçando-se a afastar essa sensação, passou alguns minutos verificando se todas as janelas estavam trancadas, prendendo os trincos das venezianas no gancho do chão. No andar de cima, cuidou primeiro de todos os quartos de hóspedes vazios e, então, dirigiu-se ao quarto em que Paul havia dormido.

Abriu a porta, entrou, e reparou que ele havia feito a própria cama. Suas mochilas estavam dobradas ao lado da cômoda; as roupas que havia usado no início da manhã já haviam sido colocadas de lado, e os sapatos tipo mocassim estavam no chão perto da parede, as pontas juntas, viradas para fora. Seus filhos, ela pensou consigo mesma, poderiam aprender com ele alguma coisa a respeito das virtudes de se manterem as coisas organizadas em seus quartos.

No banheiro, ela trancou uma pequena janela e, ao fazer isso, viu ao lado de uma gilete, a saboneteira e a escova que ele havia usado para fazer espuma. Essas coisas estavam próximas da pia, perto de um vidro de loção pós-barba. Sem querer, imaginou-o diante do espelho naquela manhã; e, ao pensar nessa imagem, sua intuição dizia-lhe que ele gostaria de tê-la ao seu lado.

Balançou a cabeça, sentindo-se como uma adolescente espiando o quarto dos pais, e foi até a janela que ficava ao lado da cama. Enquanto a trancava, viu Paul carregando uma das cadeiras de balanço da varanda para o depósito que ficava embaixo da casa.

Ele se movimentava como se fosse 20 anos mais jovem. Jack não era assim. Com o passar dos anos, havia engordado, especialmente ao redor da cintura por causa dos muitos coquetéis, e sua barriga ficava chacoalhando se ele fizesse qualquer tipo de atividade física.

Mas Paul era diferente. Ela sabia que ele era completamente diferente de Jack, e foi ali, enquanto ainda estava dentro do quarto ocupado por ele, que Adrienne sentiu pela primeira vez uma vaga sensação de expectativa, algo parecido com o que um jogador inveterado deveria sentir enquanto esperava que a sorte lhe sorrisse nos dados.

Paul estava organizando as coisas debaixo da casa.

As proteções contra furacões eram placas de alumínio corrugado, medindo setenta e cinco centímetros de largura por quase dois metros de altura, e todas haviam sido marcadas de forma permanente com a indicação da janela correspondente na casa. Paul começou a tirá-las da pilha e foi colocando-as de lado, juntando cada grupo, planejando mentalmente o que precisava fazer.

Estava acabando de fazer isso quando Adrienne chegou. A distância, ouvia-se o barulho dos trovões, ecoando sobre a água. A temperatura estava começando a cair.

— Como está indo? — ela perguntou.

O tom de voz pareceu um pouco estranho, pensou Adrienne, como se outra mulher tivesse dito aquelas palavras.

— Vai ser mais fácil do que eu imaginava — ele disse —, tudo o que preciso fazer é acertar os encaixes, fixá-los nos suportes e prender com estes prendedores.

— E as placas de madeira para manter as proteções no lugar?

— Também não vão ser difíceis. Os encaixes já estão montados, tudo o que preciso fazer é colocar as tábuas nos suportes e bater alguns pregos. Como disse Jean, é trabalho para uma pessoa.

— Você acha que demora?

— Talvez uma hora. Você pode esperar lá dentro, se quiser.

— Não há nada que eu possa fazer? Quer dizer, para ajudar?

— Sinceramente, não. Mas se quiser, pode me fazer companhia.

Adrienne sorriu, apreciando o tom de convite de sua voz.

— Negócio fechado.

Durante mais ou menos uma hora, Paul foi de uma janela para outra, encaixando as proteções nos suportes, e Adrienne lhe fazia companhia. Enquanto trabalhava, ele percebia que Adrienne não tirava os olhos dele, e voltou a sentir o mesmo constrangimento daquele momento em que ela havia soltado sua mão naquela manhã.

Em pouco tempo, começou a cair uma chuva leve, que depois foi ficando mais forte. Adrienne procurou ficar mais perto da casa para não se molhar, mas descobriu que não adiantava muito por causa do vento. Paul não aumentou o ritmo de trabalho e tampouco diminuiu; a chuva e o vento não pareciam afetá-lo de maneira nenhuma.

Outra janela coberta, depois a próxima. Colocou as proteções, enfiou os ganchos, mudou a escada. Quando Paul acabou de cobrir as janelas e começou a colocar as placas de madeira, já havia relâmpagos sobre a água e a chuva havia piorado. Ainda assim, continuou a trabalhar normalmente. Cada prego era martelado quatro vezes, com extrema regularidade, como se ele trabalhasse com carpintaria há anos.

Apesar da chuva, eles conversaram; Adrienne percebeu que ele procurou manter uma conversa leve, distante de qualquer coisa que pudesse ser interpretada de maneira errada. Falou sobre alguns consertos que fizera junto com seu pai na fazenda e que talvez pudesse fazer algo parecido no Equador também, por isso era tão bom sentir o gostinho desse tipo de trabalho outra vez.

Enquanto escutava as coisas que Paul contava a respeito disso ou daquilo, ela foi percebendo que ele estava procurando lhe dar um espaço que achava que ela precisava, que achava que ela queria. Porém, enquanto o observava, Adrienne subitamente compreendeu que a última coisa que poderia lhe passar pela cabeça seria manter-se a distância.

Tudo o que dizia respeito a ele fazia com que desejasse algo que ela nunca havia experimentado: sua maneira de trabalhar fazendo com que o trabalho parecesse fácil; as formas de seus quadris e de suas pernas sob a calça *jeans* quando ele subia na escada, ficando acima dela; aqueles olhos que sempre refletiam o que ele estava pensando e sentindo. Em pé sob a chuva que caía, ela pôde sentir a força vital que emanava da pessoa que ele era, e da pessoa que ela percebia que queria ser.

Quando terminou o serviço, o blusão e a jaqueta que Paul estava vestindo estavam empapados de suor e seu rosto havia ficado pálido por causa do frio. Depois de guardar a escada e as ferramentas sob a casa, ele se juntou a Adrienne na varanda. Ela havia passado as mãos pelo cabelo, tirando-o do rosto. Com a água da chuva, as ondas suaves de seus cabelos se desmancharam, assim como qualquer traço de maquilagem. Em vez disso, restara uma beleza natural, e apesar da jaqueta grossa que ela estava usando, Paul podia sentir o corpo quente e feminino que se escondia ali.

Foi então que, parados sob a cobertura da varanda, eles viram a tempestade desabar com toda a fúria. Um relâmpago enorme e assustador ligou o mar ao céu, e o estrondo de um trovão ecoou como se dois carros tivessem acabado de bater um contra o outro na estrada. O vento soprava, inclinando o topo das árvores em uma única direção. A chuva caía de maneira oblíqua, como se estivesse tentando desafiar a gravidade.

Durante alguns minutos eles ficaram apenas observando, sabendo que um pouco mais de chuva não tinha importância nenhuma. Então, rendendo-se finalmente às possibilidades do que poderia vir em seguida, eles se viraram e entraram na casa sem dizer uma palavra.

Capítulo doze

Molhados e com frio, cada um foi para seu quarto. Paul tirou as roupas e abriu a torneira, esperando até que o vapor começasse a sair detrás da cortina antes de entrar debaixo da água. Demorou alguns minutos até sentir o corpo aquecido e, apesar de ter demorado muito mais do que de costume e de ter se vestido devagar, Adrienne ainda não tinha reaparecido quando ele desceu as escadas.

Com as janelas cobertas, a casa estava mais escura, de forma que Paul acendeu as luzes da sala antes de ir até a cozinha para tomar uma xícara de café. A chuva batia furiosamente na proteção contra furacões, fazendo com que a vibração ecoasse pela casa. Uma sucessão de trovões ecoava continuamente, parecendo ao mesmo tempo próximos e distantes, como os sons que se ouvem em uma estação de trem movimentada. Paul voltou com a xícara de café para a sala de estar. Mesmo com as luzes acesas, as janelas tampadas faziam com que parecesse noite, e ele resolveu acender a lareira.

Paul abriu o abafador e colocou três toras, arrumando-as de forma a permitir a passagem do ar, e então jogou alguns gravetos. Procurou pelos fósforos e foi encontrá-los em uma caixa de madeira sobre o próprio consolo da lareira. O odor de enxofre se espalhou pelo ar quando acendeu o primeiro fósforo.

Os gravetos estavam secos e pegaram fogo rapidamente; em pouco tempo, começou a ouvir o barulho do papel se desfazendo enquanto as toras começavam a pegar fogo também. Não demorou muito para que o carvalho começasse a exalar calor, então Paul sentou-se em uma das cadeiras de balanço, estendendo os pés na direção do fogo.

Aquilo era bastante confortável, pensou; porém levantou-se da cadeira, sem muita pressa, atravessou a sala e apagou as luzes.

Então ele sorriu. Melhor, pensou ele. Muito melhor.

Dentro do quarto, Adrienne não tinha pressa. Depois que entraram na casa, resolveu que iria seguir o conselho de Jean e começou a encher a banheira. Mesmo com a torneira desligada, quando entrou na banheira continuou a ouvir um ruído no encanamento e percebeu que Paul ainda estava tomando banho no andar de cima. Havia algo de sensual nessa constatação, então ela deixou que a sensação tomasse conta dela.

Dois dias antes, não teria imaginado que uma coisa dessas pudesse acontecer com ela. Como também não teria imaginado que estaria se sentindo dessa maneira em relação a alguém, que mal acabara de conhecer. Em sua vida não havia lugar para esse tipo de coisa, não ultimamente, pelo menos. Era muito fácil culpar as crianças ou dizer a si mesma que suas responsabilidades não permitiam que tivesse tempo para uma coisa dessas, mas isso não era completamente verdadeiro. Era preciso reconhecer que tinha a ver com a pessoa em que se transformara depois do divórcio.

Sim, ela tinha ficado com raiva e se sentira traída por Jack; qualquer um poderia entender esses sentimentos. Mas o fato de ter sido abandonada por causa de outra pessoa tinha uma série de outras implicações, e, por mais que tentasse não remoer esse assunto, havia ocasiões em que simplesmente não conseguia evitar. Jack a havia rejeitado, ele havia rejeitado a vida que haviam vivido juntos; aquilo era um golpe devastador em seu papel de esposa, de mãe, e de mulher. Mesmo que ele não tivesse planejado se apaixonar por Linda e que tudo tivesse acontecido por acaso, como havia alegado, não podia acreditar que ele tivesse se deixado arrastar pela onda de emoções sem pensar que teria de tomar decisões conscientes ao longo do caminho. Em algum momento ele teve de pensar a respeito do que estava fazendo, teve de levar em consideração todas as possibilidades do que poderia acontecer quando começou a sair com Linda. E, por mais que tentasse minimizar o que tinha acontecido, era como se tivesse dito a ela não apenas que Linda era melhor em todos os aspectos, mas também que ela não merecia o tempo e o esforço necessários para que tentassem dar um jeito no que poderia haver de errado com o relacionamento deles.

Como poderia reagir a uma rejeição tão completa como aquela? Era fácil para os outros dizer que a atitude de Jack não tinha nada a ver com ela, que ele estava atravessando uma crise de meia-idade; aquilo havia produzido efeitos sobre a pessoa que ela imaginava que era. Principalmente como mulher. Era difícil sentir-se sensual sem se sentir atraente, e os três anos que se seguiram sem ter saído com ninguém haviam servido apenas para reforçar seu sentimento de inadequação.

E como ela havia lidado com esse sentimento? Havia dedicado sua vida aos filhos, ao pai, a casa, ao trabalho, às contas. Consciente ou inconscientemente, tinha deixado de fazer aquelas coisas que lhe dariam a oportunidade de pensar a respeito de si mesma. Haviam acabado as conversas descompromissadas com os amigos pelo telefone, ou os passeios e os banhos de banheira, e até mesmo o trabalho no jardim. Todas as suas atividades tinham algum objetivo, e apesar de acreditar que dessa forma estava conseguindo manter sua vida em ordem, agora percebia que estava cometendo um grande erro.

Afinal, isso não adiantava muito. Ficava ocupada desde o minuto em que acordava até a hora em que ia para a cama, e, como se furtara de qualquer possibilidade de ter algo gratificante, não havia nada por que pudesse ansiar. Sua rotina diária compunha-se de uma série de tarefas, e isso era suficiente para desgastar qualquer ser humano. De repente, ela compreendeu que, ao desistir das pequenas coisas que fazem a vida valer a pena, tudo o que havia conseguido fora se esquecer de quem realmente era.

Desconfiou que Paul já havia percebido isso. E, de alguma maneira, a convivência com ele tinha sido uma oportunidade para que também ela percebesse isso.

Mas este fim de semana não iria representar apenas o reconhecimento dos erros que havia cometido no passado. Também tinha a ver com o futuro e como iria viver a partir deste momento. Seu passado havia sido desperdiçado; não havia nada que pudesse fazer a respeito, mas o futuro ainda estava a sua frente para ser vivido, e ela não queria passar o resto da vida remoendo sentimentos dos últimos três anos.

Ela raspou as pernas e ficou mais um tempo enfiada na banheira, tempo suficiente para que toda a espuma desaparecesse e a água começasse a esfriar. Então secou-se e, sabendo que Jean não iria se importar, pegou a loção que estava em cima da bancada. Passou um pouco nas pernas e na barriga, depois nos seios e nos braços, apreciando a suavidade que ia deixando em sua pele.

Enrolou a toalha em volta do corpo e foi até a sua mala. A força do hábito fez com que pegasse uma calça *jeans* e um suéter, mas, depois de voltar a se despir, colocou-os de lado. Se pretendo realmente mudar minha maneira de viver, ela pensou, acho que poderia começar a partir de agora.

Não havia trazido muita coisa, com certeza nada elegante, mas tinha uma calça preta e uma blusa branca que Amanda lhe dera de presente no Natal. Trouxera essa roupa com a vaga esperança de que talvez pudesse sair uma noite, e embora não estivesse indo a lugar nenhum, aquela parecia uma ocasião tão boa quanto qualquer outra para usar a roupa nova.

Secou o cabelo e enrolou-o usando o secador. Depois se maquilou: rímel e um pouco de *blush*, e o batom que havia comprado alguns meses atrás, mas que raramente usava. Inclinando-se na direção do espelho, passou um pouco de sombra, apenas o suficiente para acentuar a cor dos seus olhos, como fazia nos primeiros anos de seu casamento.

Quando ficou pronta, pôs-se a arrumar a blusa até que ficasse perfeita, e sorriu diante de sua imagem. Fazia muito tempo que não exibia aquela aparência.

Saiu do quarto e, ao passar pela cozinha, sentiu o cheiro de café. Era o que, em geral, tomaria num dia como aquele, especialmente porque ainda era dia, mas, em vez de se servir de uma xícara, pegou a última garrafa de vinho da geladeira e dois copos, e também o saca-rolha, sentindo-se uma mulher experiente, como se finalmente fosse dona da situação.

Levou tudo aquilo para a sala de estar e então viu que Paul havia acendido a lareira, e isso, de certa forma, havia mudado a sala completamente, como em uma espécie de antecipação condizente com seus sentimentos. O rosto de Paul parecia brilhar com as chamas, e, apesar de ter permanecido em silêncio, ela sabia que já havia percebido sua presença. Ele virou-se para dizer alguma coisa, mas, quando viu Adrienne, as palavras não saíram de sua boca. A única coisa que conseguiu fazer foi ficar olhando fixamente para ela.

— Exagerei? — ela perguntou, finalmente.

Paul balançou a cabeça, sem conseguir tirar os olhos dela.

— Não... de forma alguma. Você está... linda.

Adrienne mostrou um sorriso acanhado.

— Obrigada — ela falou com uma voz suave, quase um sussurro, uma voz de muito tempo atrás.

Continuaram com os olhos fixos um no outro até Adrienne erguer a garrafa ligeiramente.

— Você quer tomar um pouco de vinho? — ela perguntou. — Eu sei que está tomando café, mas, com essa tempestade, pensei que poderia ser bom.

Paul limpou a garganta.

— Parece ótimo. Quer que eu abra a garrafa?

— A menos que você goste de pedaços de rolha em seu vinho, acho melhor. Eu nunca aprendi a fazer essas coisas direito.

Quando Paul se levantou da cadeira, ela lhe entregou o saca-rolha. Ele abriu a garrafa com alguns movimentos rápidos, e Adrienne ficou segurando os copos enquanto ele servia. Ele colocou a garrafa sobre a mesa e pegou seu copo enquanto ambos se sentavam nas cadeiras de balanço. Ela percebeu que estavam mais próximos do que haviam estado no dia anterior.

Adrienne tomou um gole do vinho e então abaixou o copo, satisfeita com tudo: com sua aparência e com a maneira como se sentia, com o sabor do vinho, com a própria sala. O fogo bruxuleante criava sombras que dançavam ao redor deles. Lá fora, a chuva batia contra as paredes da casa.

— Isso é lindo. Que bom que você acendeu a lareira — ela disse.

Misturado com o ar quente da sala, Paul sentiu o aroma do perfume de Adrienne.

— Eu ainda estava sentindo frio. Parece que a cada ano que passa eu demoro um pouco mais para me aquecer.

— Mesmo com todo o exercício que você fez? E eu que pensava que você estava conseguindo conter os estragos causados pelo tempo.

Ele sorriu de leve.

— Quem dera.

— Você parece estar muito bem.

— É porque você nunca me viu logo cedo.

— Mas você não sai pra correr?

— Quero dizer, antes disso. Quando saio da cama, mal consigo me mexer. Fico mancando como um velho. Todas essas corridas acabaram cobrando seu preço ao longo dos anos.

Enquanto movimentavam as cadeiras de balanço para a frente e para trás, ele via o brilho do fogo refletindo nos olhos de Adrienne.

— Você teve notícias dos seus filhos hoje? — ele perguntou, procurando não olhar para ela diretamente.

Ela fez que sim.

— Eles telefonaram de manhã, quando você tinha saído. Estavam se preparando para esquiar, mas quiseram fazer um contato com a base antes de partir. Estavam indo passar o fim de semana em Snowshoe, na Virgínia. Já fazia alguns meses que eles estavam esperando por isso.

— Parece que vão se divertir.

— Acho que sim, Jack é ótimo pra essas coisas. Todas as vezes que as crianças vão visitá-lo, ele tem sempre alguma coisa divertida já programada, como se a vida com ele fosse sempre uma grande festa — ela fez uma pausa — mas pra mim está tudo bem. Ele também está perdendo muitas coisas, e eu não trocaria de lugar com ele. Não dá pra fazer esses anos voltarem.

— Eu sei — ele murmurou —, pode acreditar, eu sei muito bem.

Ela fez uma careta.

— Desculpe. Eu não devia ter dito isso...

Ele balançou a cabeça.

— Tudo bem. Mas, apesar de saber que você não estava falando de mim, sei que jamais vou poder recuperar o que perdi. Pelo menos vou tentar fazer alguma coisa a respeito agora. Só espero que dê certo.

— Vai dar.

— Você acha?

— Tenho certeza. Acho que você é o tipo de pessoa que consegue tudo o que se propõe a conseguir.

— Não vai ser tão fácil dessa vez.

— Por que não?

— Mark e eu não estamos nos entendendo muito bem atualmente. Pra falar a verdade, não estamos nos entendendo de forma nenhuma. Há anos que não trocamos mais do que algumas palavras.

Adrienne olhou para ele, sem saber o que dizer.

— Eu não imaginava que fizesse tanto tempo — ela disse, finalmente.

— E como poderia? Não é uma coisa que me orgulhe de contar para os outros.

— O que você vai dizer a ele? Quer dizer, assim que se encontrar com ele?

— Eu não faço ideia, — Paul olhou para ela —, você tem alguma sugestão? Parece que se dá muito bem nessa área.

— Eu não sei. Acho que primeiro eu teria de saber qual é o verdadeiro problema.

— É uma longa história.

— Temos o dia todo, se quiser falar a respeito.

Paul bebeu um pouco de vinho, como se estivesse decidindo o que fazer. Então, durante aproximadamente meia hora, com o acompanhamento do barulho cada vez mais forte do vento e da chuva lá fora, ele contou como estivera ausente enquanto Mark crescia, falou sobre a discussão que tiveram no restaurante, sobre sua falta de habilidade para reparar o desentendimento entre eles. Quando acabou de falar, o fogo na lareira estava fraco. Adrienne ficou em silêncio por alguns minutos.

— Essa é uma situação difícil.

— Eu sei.

— Mas a culpa não é apenas sua, você sabe. É preciso dois lutadores para que haja uma luta.

— Isso é muito filosófico.

— Mas é verdade.

— E o que é que eu devo fazer?

— Acho que é melhor não forçar a situação. Acho que vocês precisam se conhecer melhor antes de tentar resolver os problemas que existem entre vocês.

Ele sorriu, pensando em suas palavras.

— Sabe? Espero que seus filhos percebam que têm uma mãe muito inteligente.

— Eles não perceberam, ainda. Mas ainda tenho esperanças.

Ele riu, pensando em como sua pele parecia radiante sob a luz discreta. Saíram faíscas de uma das toras e uma centelha subiu na direção da chaminé. Paul colocou mais um pouco de vinho nos copos.

— Quanto tempo você pretende ficar no Equador? — ela perguntou.

— Ainda não tenho muita certeza. Acho que vai depender de Mark e de quanto tempo ele quiser que eu fique — ele girou o copo de vinho antes de olhar para ela; — mas acho que vou ficar pelo menos um ano. Foi isso o que combinei com o diretor, de qualquer forma.

— E depois você vai voltar?

Ele ergueu os ombros.

— Quem sabe? Acho que posso ir para qualquer lugar. Não é que eu tenha alguma razão para voltar para Raleigh. Para ser franco, eu não pensei no que vou fazer quando voltar. Talvez eu me candidate a cuidar de pousadas quando os proprietários têm de sair da cidade.

Ela riu.

— Acho que você ficaria entediado.

— Mas eu me sairia muito bem caso surgisse alguma tempestade.

— Verdade, mas você precisaria aprender a cozinhar.

— Bem pensado — Paul olhou para ela; metade do seu rosto estava na sombra. — Então talvez eu me mude para Rocky Mount enquanto penso no que fazer.

Ao ouvir isso, Adrienne sentiu o sangue correr para seu rosto. Ela balançou a cabeça e desviou o olhar.

— Não faça uma coisa dessas.

— Fazer o quê?

— Dizer coisas sem querer.

— O que a faz pensar que estou dizendo sem querer?

Ela não o olhou nos olhos, e também não lhe respondeu e, no silêncio que tomou conta da sala, ele pode ver o colo de Adrienne subindo e descendo no ritmo de sua respiração. Também viu uma sombra de medo cruzar seu rosto, mas não sabia se era porque ela queria que ele fosse, porém tinha medo de que ele não fosse, ou se não queria que ele fosse e tivesse medo de que ele aparecesse. Paul estendeu seu braço e pousou a mão no braço de Adrienne. Ao falar de novo, sua voz era suave, como se estivesse tentando tranquilizar uma criança pequena.

— Desculpe se a deixei constrangida — ele disse —, mas este fim de semana... me parece algo que eu não sabia que existia. Quero dizer, é como um sonho. Você tem sido um sonho.

O calor de sua mão parecia penetrar em seus ossos.

— Também acho que está sendo maravilhoso.

— Mas você não está sentindo a mesma coisa que eu.

Adrienne olhou para ele.

— Paul... Eu...

— Não, você não precisa dizer nada.

Ela não permitiu que ele terminasse a frase.

— Sim, eu preciso. Você quer uma resposta, e eu gostaria de lhe dar uma, Ok? — ela fez uma pausa, organizando seus pensamentos. — Quando Jack e eu nos separamos, foi mais do que apenas o fim de um casamento. Foi o fim de tudo o que eu esperava do futuro. E foi o fim do que eu era, também. Eu achava que queria partir pra outra, e tentei, mas o mundo não parecia estar muito interessado em quem eu era. Os homens em geral não estavam interessados em mim e acho que me fechei em uma concha. Este fim de semana me fez perceber isso e ainda estou tentando entender essa situação.

— Eu acho que não estou entendendo o que você está tentando me dizer.

— Eu não estou dizendo isso porque a resposta é não. Eu gostaria de encontrar você novamente. Você é charmoso e inteligente, e estes dois dias significaram mais para mim do que você possa imaginar. Mas mudar para Rocky Mount? Um ano é muito tempo, e não há como dizer como estaremos até lá. É só dar uma olhada no quanto você mudou nos últimos seis meses. Você pode afirmar honestamente que vai se sentir em relação a isso da mesma maneira daqui a um ano?

— Sim — ele disse —, eu posso.

— Como é que você pode ter tanta certeza?

Lá fora, o vento se transformara em vendaval, uivando ao bater contra a casa. A chuva martelava incessantemente o telhado e as paredes; a velha pousada rangia sob a pressão permanente.

Paul colocou seu copo de vinho de lado. Olhando fixamente para Adrienne, ele sabia que nunca havia visto ninguém mais bonita.

— Porque — ele disse —, você é a única razão que eu teria para voltar.

— Paul... não...

Ela fechou os olhos e por um momento Paul chegou a acreditar que a estivesse perdendo. Essa possibilidade o assustou mais do que imaginou que fosse possível e sentiu que suas últimas forças o estavam abandonando. Ergueu os olhos na direção do teto e depois para o chão, e então voltou a concentrar o olhar em Adrienne. Levantou-se de sua cadeira e colocou-se ao lado dela. Com um dedo, virou seu rosto para ele, consciente de que estava apaixonado por ela, por tudo o que dizia respeito a ela.

— Adrienne... — ele sussurrou.

Quando Adrienne finalmente o olhou nos olhos, reconheceu a emoção nos olhos dele.

Ele não conseguiu pronunciar as palavras, mas, num rompante de intuição, ela imaginou que conseguia ouvir, e isso era o bastante.

Porque nesse momento, enquanto ele a prendia com seu olhar determinado, ela soube que também estava apaixonada por ele.

Por alguns instantes, nenhum dos dois parecia saber o que fazer, até que Paul pegou sua mão. Com um suspiro, ela relaxou e se encostou na cadeira, enquanto ele corria com o dedo por sua pele.

Ele sorriu, esperando por uma resposta, mas Adrienne parecia satisfeita com o silêncio. Ele não conseguiu decifrar sua expressão, contudo, parecia sugerir tudo o que ele mesmo estava sentindo: medo e esperança, confusão e aceitação, paixão e reserva. Mas, imaginando que ela precisava de espaço, soltou sua mão e continuou em pé.

— Acho melhor colocar outra tora no fogo — ele disse —, está ficando muito fraco.

Ela concordou com a cabeça, observando-o através de olhos semicerrados enquanto ele se agachava diante do fogo, o *jeans* ficando apertado em torno de seus quadris.

Aquilo não podia estar acontecendo, ela disse a si mesma. Estava com 45 anos, pelo amor de Deus, não era mais uma adolescente. Era madura o suficiente para saber que uma coisa dessas não podia ser verdadeira. Aquilo só podia ser fruto da tempestade, do vinho, do fato de estarem sozinhos. Era uma combinação de milhares de coisas, ela disse a si mesma, mas não podia ser amor.

Mesmo assim, enquanto observava Paul colocar outra tora e depois ficar parado olhando fixamente para a lareira, soube com toda a certeza que era. O olhar inconfundível, o tremor em sua voz quando ele dissera seu nome... ela sabia que os sentimentos dele eram verdadeiros. Assim como os seus, ela pensou.

Mas o que significava tudo aquilo? Para ele ou para ela? Saber que ele a amava, por mais maravilhoso que fosse, não era tudo. O olhar de Paul falava também de desejo, e isso a assustara, ainda mais do que saber que ele a amava. Ela sempre acreditara que fazer amor era mais do que um simples ato de prazer entre duas pessoas. Precisava incluir tudo o que se imaginava que deveria ser compartilhado pelo casal: confiança e compromisso, sonhos e esperanças, uma promessa de fazer de tudo para que desse certo, independentemente do que lhes reservasse o futuro. Ela jamais havia entendido os programas de uma noite apenas ou pessoas que iam de uma cama para outra em poucos meses.

Reduziam o ato a algo quase sem sentido, não muito mais especial do que um beijo de boa noite na entrada de casa.

Apesar de amarem um ao outro, sabia que tudo iria mudar se ela se deixasse levar por seus sentimentos. Significaria atravessar uma fronteira que havia erguido em sua mente, e não havia como voltar atrás em algo desse tipo. Fazer amor com Paul significaria criar com ele um vínculo para o resto de suas vidas, e ela não tinha certeza de que estava preparada para isso.

Ela também não estava certa de que saberia o que fazer. Jack tinha sido não apenas o único homem de sua vida como também, durante dezoito anos, tinha sido o único homem com quem ela desejara estar. A possibilidade de se entregar a outro fez com que sentisse uma grande ansiedade. O ato de fazer amor era uma dança delicada que envolvia dar e receber, e a ideia de que poderia desapontá-lo já era suficiente para que hesitasse em permitir que aquela situação fosse adiante.

Porém, seus sentimentos eram mais fortes. Ela não conseguiria se controlar. Não diante do modo com que ele a olhava, e do que estava sentindo por ele.

Quando se levantou da cadeira, sentiu a garganta seca e as pernas bambas. Paul ainda estava agachado diante do fogo. Aproximando-se dele lentamente, pousou suas mãos naquela região macia entre o pescoço e os ombros dele. Sentiu seus músculos se enrijecerem por um instante, mas depois ele suspirou e relaxou. Paul virou a cabeça e ergueu os olhos em sua direção; nesse momento, ela sentiu finalmente que havia se entregado.

Tudo parecia tão correto e, em pé ao lado dele, ela sabia que iria se deixar levar para onde o destino a conduzisse.

Um relâmpago cruzou o céu lá fora. O vento e a chuva pareciam uma coisa só, batendo contra as paredes. A sala voltou a ficar mais aquecida quando as chamas recuperaram seu vigor.

Paul ficou em pé, de frente para ela. Com uma expressão suave no rosto, procurou por sua mão. Esperou que ele a beijasse; em vez disso, ergueu sua mão e a segurou contra seu rosto delicadamente, fechando os olhos, como se quisesse guardar a lembrança daquele toque para sempre.

Paul beijou o dorso de sua mão antes de soltá-la. Então, abrindo os olhos e erguendo a cabeça, ele se aproximou até que ela sentiu seus lábios roçarem seu rosto beijando-a levemente várias vezes até tocarem sua boca.

Ela se inclinou contra ele enquanto a envolvia em seus braços; sentiu os seios pressionados contra o peito dele; sentiu a barba por fazer quando a beijou pela segunda vez.

A mão de Paul correu por suas costas, seus braços; ela abriu os lábios, sentindo a umidade de sua língua. Ele beijou seu pescoço, seu rosto e, quando desceu a mão até sua barriga, ela sentiu uma espécie de choque elétrico. Quando as mãos dele passaram para seus seios, sentiu a respiração parar na garganta; beijaram-se muitas e muitas vezes, como se o mundo ao redor estivesse se dissolvendo em algo distante e irreal.

Para ambos, aquilo representava o fim; enquanto se aproximavam cada vez mais um do outro, era como se estivessem abraçando não apenas um ao outro, mas como se estivessem deixando para trás todas as lembranças dolorosas.

As mãos de Paul se perdiam agora em seus cabelos, enquanto ela inclinava a cabeça sobre seu peito, ouvindo o coração dele bater tão forte quanto o seu.

Então, quando finalmente conseguiram se separar, ela percebeu que estava procurando a mão dele.

Adrienne deu um pequeno passo atrás e, puxando-o gentilmente, conduziu Paul para o quarto que ele estava ocupando no andar de cima.

Capítulo treze

Na cozinha, Amanda olhou fixamente para sua mãe.

Ela não havia falado desde que Adrienne começara a contar sua história e já havia tomado dois copos de vinho, o segundo mais depressa do que o primeiro. As duas estavam em silêncio agora, e Adrienne conseguia sentir a expectativa ansiosa de sua filha enquanto esperava pelo que viria a seguir.

Mas Adrienne não conseguiria contar a Amanda, e nem precisava. Amanda era uma mulher crescida; ela sabia o que era fazer amor com um homem. Também já tinha idade suficiente para saber que, apesar de ser uma parte maravilhosa do descobrimento de um pelo outro, era apenas isso: uma parte. Ela amara Paul. Se ele não tivesse significado tanto para ela, se o fim de semana tivesse sido apenas uma coisa física, não haveria nada para lembrar além de alguns momentos agradáveis; teria sido especial apenas pelo fato de ter ficado tanto tempo sozinha. O que eles compartilharam, entretanto, foram sentimentos que estavam enterrados fazia muito tempo, sentimentos que só diziam respeito a eles dois. E só a eles.

Além disso, Amanda era sua filha. Ela poderia ser chamada de antiquada, mas entrar em detalhes não seria algo muito apropriado. Algumas pessoas conseguiam falar dessas coisas, mas Adrienne nunca tinha entendido como o faziam. Para ela, o quarto sempre fora um lugar de segredos compartilhados.

Mas, mesmo que quisesse contar, sabia que não conseguiria encontrar as palavras. Como poderia descrever a sensação que sentiu quando ele começou a desabotoar sua blusa; os arrepios que percorreram todo o seu corpo quando ele deslizou o dedo por sua barriga; o calor que sentiu na pele quando seus corpos se aproximaram; a textura de sua boca quando ele a beijou; a pressão dos dedos dele em sua pele; o som da respiração dele e da sua própria aceleradas quando começaram a se mover como um só?

Não, ela não iria falar dessas coisas. Em vez disso, iria deixar que sua filha imaginasse o que havia acontecido, porque Adrienne sabia que somente a sua imaginação conseguiria captar toda a magia que havia sentido nos braços de Paul.

— Mamãe? — Amanda sussurrou finalmente.

— Você quer saber o que aconteceu?

Amanda engoliu em seco, revelando seu desconforto.

— Sim — foi tudo o que ela conseguiu falar.

— Você quer dizer...

— Sim — ela disse novamente.

Amanda bebeu um pouco de vinho. Enchendo-se de coragem, ela pousou o copo sobre a mesa.

— E? . . .

Adrienne inclinou-se para a frente, como se não quisesse que mais alguém ouvisse.

— Sim — ela sussurrou, e então, depois de olhar para o lado, voltou ao passado.

Eles fizeram amor naquela tarde, e ela passou o resto do dia na cama. Enquanto a tempestade ficava cada vez mais violenta, com as folhagens soltas e as árvores arrancadas do chão pelo vento batendo contra a casa, Paul a apertava em seus braços, os lábios pressionados contra seu rosto, os dois recordando o passado e conversando sobre seus sonhos para o futuro, sentindo ambos um grande encantamento com os pensamentos e sentimentos que haviam levado até aquele momento.

Aquela era uma situação nova tanto para ela quanto para Paul. Durante os últimos anos de seu casamento com Jack, talvez durante a maior parte, agora que parava para pensar, sempre que faziam amor, era uma coisa mecânica, sem paixão e rápida, sem muito carinho. E raramente conversavam depois, porque Jack, em geral, se virava para o outro lado e pegava no sono em poucos minutos.

Paul não apenas a mantivera em seus braços durante horas depois de terem se amado, como mostrou a ela, com seu abraço carinhoso, que tudo aquilo tinha tanto significado para ele quanto a intimidade física que haviam compartilhado. Ele beijou seus cabelos e seu rosto e, em todas as vezes acariciou uma parte de seu corpo, disse que ela era linda e disse que tinha adorado seu jeito seguro e solene de se apaixonar tão depressa.

Apesar de não poderem ver o céu por causa da proteção nas janelas, ele havia se tingido de um preto opaco furioso. Ondas levadas pelo vento batiam contra as dunas, desmanchando-as; a água cercava a fundação da pousada. A antena da casa foi levada e acabou caindo no outro extremo da ilha. A areia e a chuva penetravam pelo batente da porta de trás, que vibrava com a força da tempestade. A luz acabou em algum momento nas primeiras horas da manhã. Eles fizeram amor pela segunda vez em meio à escuridão total, guiados apenas pelo toque. Quando acabaram, pegaram no sono, aninhados nos braços um do outro, enquanto o olho da tempestade passava por Rodanthe.

Capítulo quatorze

Quando acordaram na manhã de sábado, estavam mortos de fome, mas sem energia. A tempestade ainda caía lá fora, apesar de menos violenta. Paul trouxe a geladeira de isopor para o quarto, e eles comeram no conforto da cama, alternando momentos alegres e sérios, provocando o outro ou ficando em silêncio, saboreando um ao outro e aquele momento.

Por volta do meio-dia, o vento acalmara o suficiente para que eles se aventurassem a sair para a varanda. O céu estava começando a ficar mais claro, mas a praia estava cheia de entulho: pneus velhos e escadas de casas que ficavam muito próximas da água e que haviam sido atingidas pela fúria das ondas levadas pela ventania. O ar estava ficando mais quente; ainda estava muito frio para ficar ao ar livre sem um casaco, mas Adrienne conseguiu tirar suas luvas para poder sentir as mãos de Paul nas suas.

A luz voltou por um momento perto das duas horas, mas acabou de novo, voltando definitivamente vinte minutos mais tarde. A comida na geladeira não havia estragado, por isso Adrienne grelhou alguns *steaks* e fizeram uma longa refeição, consumindo sua terceira garrafa de vinho. Depois, entraram juntos na banheira. Paul sentou-se atrás dela e, enquanto ela pousava a cabeça em seu peito, ele passava a esponja sobre seu estômago e seus seios. Adrienne fechou os olhos, relaxando nos braços dele, sentindo a água quente em sua pele.

Naquela noite, foram até a cidade. Rodanthe estava voltando à vida após a tempestade, e eles passaram o finalzinho da tarde em um boteco escuro, ouvindo música na *jukebox* e dançando ao som de uma ou outra canção. O bar estava cheio de gente da região, ansiosos por compartilharem suas histórias da tempestade, de forma que Paul e Adrienne foram os únicos a se aventurarem pelo salão. Ele a puxou para perto, e giraram lentamente em círculos, os corpos colados, alheios às conversas e a olhares dos outros moradores.

No domingo, Paul retirou as proteções contra furacões e as guardou, depois colocou as cadeiras de balanço de volta ao seu lugar na varanda. Pela primeira vez após a tempestade, o céu ficara completamente limpo, e eles foram caminhar pela praia, como haviam feito em sua primeira noite juntos, percebendo o quanto as coisas haviam mudado desde então. O mar havia cavado sulcos profundos e violentos em algumas partes da praia, e algumas árvores estavam caídas. A menos de um quilômetro de distância, Paul e Adrienne viram uma casa atingida pela tempestade, cuja metade estava apoiada sobre estacas e a outra metade sobre a areia. Praticamente todas as paredes estavam tortas, as janelas quebradas e parte do teto havia sido levada. Perto de uma pilha de tábuas rachadas, que pareciam ter pertencido a uma varanda, estava uma máquina de lavar louça. Perto da estrada, havia um grupo de pessoas reunidas, tirando fotos para o seguro, e pela primeira vez eles se deram conta do volume dos estragos causados pela tempestade.

Quando voltaram, a maré estava subindo. Foram caminhando devagar, seus ombros se tocando levemente, quando encontraram a concha. Seu exterior cheio de sulcos estava enterrado na areia, cercado por milhares de pequenos fragmentos de conchas quebradas. Quando Paul deu-a a Adrienne, ela a colocou sobre o ouvido, e então ele brincou com o fato de dizer que podia ouvir o mar. Ele colocou os braços ao redor de Adrienne, dizendo-lhe que era tão perfeita quanto a concha que haviam acabado de encontrar. Apesar de saber que iria guardá-la para sempre, Adrienne não tinha ideia da importância que acabaria tendo para ela.

Tudo o que sabia era que estava nos braços do homem que amava, desejando que ele pudesse mantê-la aconchegada daquela maneira para sempre.

Na segunda-feira pela manhã, Paul levantou-se antes que ela acordasse e, apesar de ter alegado que não tinha qualquer familiaridade com a cozinha, ele a surpreendeu trazendo-lhe café na cama em uma bandeja, despertando--a com o aroma do café fresco. Sentou ao seu lado enquanto ela comia, rindo enquanto Adrienne se apoiava nos travesseiros, tentando sem êxito cobrir os seios com o lençol. As torradas estavam deliciosas, o *bacon* estava crocante sem estar queimado, e ele havia acrescentado a quantidade exata de queijo *cheddar* aos ovos mexidos.

Apesar de já ter tomado café na cama preparado por seus filhos no Dia das Mães, era a primeira vez que um homem fazia algo assim para ela. Jack não era do tipo que pensava em coisas desse gênero.

Quando terminou, Paul saiu para uma corrida rápida, enquanto Adrienne tomava um banho e se vestia. Depois da corrida, jogou as roupas sujas na máquina de lavar e também tomou banho. Quando voltou a encontrá-la na cozinha, Adrienne estava ao telefone com Jean. Ela havia telefonado para saber como estavam as coisas. Enquanto Adrienne lhe contava o que havia acontecido, Paul a abraçou, acariciando-a na nuca com o nariz.

Enquanto falava ao telefone, Adrienne ouviu o barulho inconfundível da porta da frente da pousada se abrindo e o barulho de botas pesadas sobre o chão de madeira. Ela terminou de falar com Jean e desligou; então saiu da cozinha para ver quem havia entrado. Menos de um minuto depois, voltou e olhou para Paul, como se não soubesse o que dizer. Ela soltou um longo suspiro.

— Ele veio falar com você — ela disse.

— Quem?

— Robert Torrelson.

Robert Torrelson estava esperando na sala de estar, sentado no sofá com a cabeça inclinada quando Paul se aproximou dele. Ele ergueu os olhos sem sorrir, sua expressão era inexpugnável. Antes desse momento, Paul não tinha certeza de que conseguiria reconhecê-lo no meio de uma multidão, mas, com essa proximidade, percebeu que reconhecia o homem que estava sentado a sua frente. Além do cabelo, que havia ficado mais branco no último ano, ele parecia o mesmo de quando estivera na sala de espera do hospital. Seus olhos eram tão duros quanto Paul imaginou que seriam.

Robert não abriu a boca. Em vez disso, olhou fixamente para Paul, enquanto ele virava a cadeira de balanço para que pudessem ficar frente a frente.

— Você veio — Robert Torrelson disse, por fim.

Sua voz era forte e seca, com forte acento sulista, como resultado de anos fumando cigarros Camel sem filtro.

— Sim.

— Eu não pensei que viesse.

— Durante algum tempo, eu também não tive muita certeza de que viria.

Robert fez uma careta, como se esperasse por aquilo.

— Meu filho disse que falou com você.

— Falou.

Robert sorriu com amargura, sabendo o que havia sido dito.

— Ele disse que você não tentou se explicar.

— Não — Paul respondeu —, eu não tentei.

— Mas você ainda acha que não fez nada de errado, não acha?

Paul desviou o olhar, pensando no que Adrienne havia dito. Não, ele pensou, jamais conseguiria fazê-los mudar de ideia. Ele se endireitou no lugar.

— Na sua carta, você disse que queria falar comigo e que era importante. Agora, estou aqui. Em que posso ajudá-lo, Sr. Torrelson?

Robert levou a mão ao bolso da frente de sua camisa e tirou um pacote de cigarros e uma caixa de fósforos. Acendeu um cigarro, puxou um cinzeiro para perto e recostou-se no sofá.

— O que foi que deu errado? — ele perguntou.

— Nada. A operação correu tão bem quanto eu esperava.

— Então, por que ela morreu?

— Eu gostaria de saber, mas não sei.

— Foi isso o que seus advogados mandaram dizer?

— Não — Paul respondeu, imperturbável —, é a verdade. Pensei que fosse o que queria ouvir. Se pudesse lhe dar uma resposta, eu daria.

Robert colocou o cigarro na boca e aspirou. Quando soltou a fumaça, Paul pôde perceber um leve chiado, como o ar escapando de uma velha gaita.

— Você sabia que ela tinha o tumor quando nos encontramos pela primeira vez?

— Não. Eu não sabia.

Robert deu mais uma longa tragada em seu cigarro. Quando voltou a falar, sua voz estava mais suave, modulada pelas lembranças.

— Não estava tão grande naquela época, é claro. Tinha mais ou menos o tamanho de meia noz, e a cor também não estava tão ruim. Mesmo assim dava pra vê-lo tão bem quanto a luz do dia, como se ela tivesse alguma coisa encravada debaixo da pele. E isso sempre a incomodara, desde que era pequena. Sou alguns anos mais velho do que ela, e me lembro de que andava olhando para os pés quando ia pra escola, e não é preciso pensar muito para saber o motivo.

Robert fez uma pausa, organizando os pensamentos, e Paul sabia que era melhor permanecer em silêncio.

— Como muita gente naquela época, ela não terminou a escola porque precisou começar a trabalhar para ajudar a família, e foi então que eu a vi pela primeira vez. Trabalhava no píer onde descarregávamos nossa pesca e cuidava das balanças. Acho que passei um ano tentando falar com ela antes de ela falar qualquer coisa comigo, mas isso não tinha a menor importância. Era honesta e muito trabalhadora, e, apesar de cobrir o rosto com o cabelo, de vez em quando eu conseguia ver o que estava por baixo dele e percebi que tinha os olhos mais bonitos que eu já tinha visto. Eram castanhos muito escuros e suaves, sabe? Como se ela nunca tivesse magoado uma alma simplesmente porque não podia. E eu ficava tentando falar com ela, e ela continuava me ignorando até que, eu acho, finalmente percebeu que eu não ia desistir. Então deixou que eu a levasse para sair uma noite, mas passou praticamente o tempo todo sem olhar pra mim. Só ficava olhando para os sapatos.

Robert juntou as mãos.

— Mesmo assim, eu a convidei pra sair de novo. Na segunda vez, foi melhor, e percebi que era engraçada quando queria. Quanto mais eu a conhecia, mais gostava dela e então, depois de algum tempo, comecei a pensar que talvez estivesse apaixonado por ela. Eu não me incomodava com aquela coisa no seu rosto. Não me incomodava naquela época e também não estava me sentindo incomodado no ano passado. Mas ela estava. Ela sempre esteve.

Ele fez uma pausa.

— Tivemos sete filhos em vinte anos, e parecia que todas as vezes que ela estava amamentando um deles, aquela coisa ficava maior. Eu não sei se isso era verdade ou não, mas ela costumava me dizer a mesma coisa. Mas todos os meus filhos, inclusive John, aquele que você conheceu, achavam que ela era a melhor mãe do mundo. E era. Era dura quando precisava ser, mas era a mulher mais doce que você poderia encontrar no resto do tempo. Eu a amava por causa disso, e nós éramos felizes. A vida por aqui não é fácil, mas ela fazia com que tudo fosse mais fácil pra mim. Eu sentia muito orgulho dela, e ficava orgulhoso de ser visto ao seu lado, e eu fazia questão de que todo mundo por aqui soubesse disso. Eu pensei que isso seria suficiente, mas acho que não era.

Paul continuou sem se mexer enquanto Robert prosseguiu.

— Uma noite, ela viu esse programa na televisão falando de uma mulher que tinha um desses tumores, e mostraram fotos de antes e depois. Acho que meteu na cabeça que também poderia se livrar daquilo de uma vez por todas. E foi aí que começou a falar em fazer uma operação. Era muito caro e não tínhamos assistência médica, mas ela continuou perguntando se não haveria um jeito de conseguir fazê-la.

Os olhos de Paul e de Robert se encontraram.

— Nada do que eu dizia era capaz de fazer com que ela mudasse de ideia. Eu dizia que não me importava, mas não me ouvia. Às vezes, eu a encontrava no banheiro apalpando o rosto, ou então ouvia seu choro, e sabia que era o que ela mais queria na vida. Tinha vivido com aquilo a vida inteira e estava cansada. Cansada de perceber que as pessoas estranhas evitavam olhar pra ela, e de constatar que as crianças não conseguiam parar de olhar. Até que finalmente eu desisti. Peguei todas as nossas economias, fui até o banco e consegui um empréstimo dando o meu barco como garantia, e aí fomos pro seu consultório. Ela estava tão animada naquele dia. Acho que eu nunca a tinha visto tão feliz em toda a sua vida, e só o fato de vê-la daquele jeito me deu a certeza de que eu estava fazendo a coisa certa. Eu disse a ela que ficaria esperando e que iria vê-la assim que ela acordasse. E sabe o que ela me disse? Sabe quais foram as últimas palavras dela pra mim?

Robert olhou para Paul, certificando-se de que ele estava prestando atenção.

— Ela disse: "Eu passei toda a minha vida querendo ficar bonita pra você".

E tudo o que consegui pensar quando ela disse isso foi que ela sempre tinha sido bonita.

Paul inclinou a cabeça e, apesar de tentar engolir, sentiu um nó na garganta.

— Mas você não sabia nada a respeito dela. Pra você, ela era apenas a mulher que tinha vindo fazer uma operação, ou a mulher que morreu, ou a mulher com uma coisa no rosto, ou a mulher cuja família estava processando você. Não era justo deixar que você continuasse sem saber a história dela.

Ela merecia mais do que isso. Ela conquistou mais do que isso vivendo a vida que viveu.

Robert Torrelson bateu as cinzas do cigarro e depois o apagou.

— Você foi a última pessoa com quem ela falou, a última pessoa a vê-la com vida. Ela era a melhor mulher do mundo, e você nem sabia pra quem estava olhando — ele fez uma pausa, para permitir que aquilo fosse absorvido. — Mas agora você sabe.

Com isso, ele se levantou do sofá e minutos depois já tinha ido embora.

Depois de ouvir o que Robert Torrelson havia dito, Adrienne passou a mão no rosto de Paul, enxugando suas lágrimas.

— Você está bem?

— Eu não sei — ele disse — acho que estou um pouco tonto.

— Não é de admirar. É muita coisa para absorver.

— Sim, muita coisa.

— Está satisfeito por ter vindo? E por ter ouvido todas essas coisas que ele disse?

— Sim e não. Pra ele, é importante que eu saiba quem era ela, e fico satisfeito por isso. Mas isso também me deixa triste. Eles se amavam tanto, e agora ela está morta.

— Está.

— Isso não parece justo.

Ela sorriu com tristeza.

— E não é. Quanto maior o amor, maior a tragédia quando acaba. Esses dois elementos sempre andam juntos.

— Mesmo pra você e eu?

— Pra todo mundo — ela disse. — O máximo que podemos esperar da vida é que demore muito, mas muito mesmo para acontecer.

Ele a puxou para seu colo. Beijou-a nos lábios e depois passou os braços em torno dela, num abraço apertado, deixando que ela também o abraçasse, e durante muito tempo, ficaram nessa posição.

Mas enquanto faziam amor mais tarde naquela noite, Adrienne se lembrou das palavras que havia dito. Foi a última noite que passaram juntos em Rodanthe, sua última noite juntos durante pelo menos um ano. E, por mais que lutasse, ela não conseguiu conter as lágrimas que correram silenciosamente por seu rosto.

Capítulo quinze

Adrienne não estava na cama quando Paul acordou na terça-feira de manhã. À noite, ele tinha percebido que ela estava chorando, mas não havia dito nada, sabendo que se tocasse no assunto também iria chorar. Mas essa recusa o deixara esgotado e sem conseguir dormir durante horas. Ele continuou acordado enquanto ela pegou no sono em seus braços; ficou fazendo carinho nela, sem vontade de parar, como se quisesse compensar o ano em que ficariam longe um do outro.

Adrienne havia deixado suas roupas dobradas, as que estavam na secadora, e Paul já havia separado o que iria precisar naquele dia antes de arrumar o resto nas mochilas. Depois de tomar um banho e se vestir, ele se sentou na beirada da cama, com uma caneta na mão, e rabiscou seus pensamentos em um papel. Deixou o bilhete no quarto; depois trouxe suas coisas para baixo e as deixou perto da porta da frente. Adrienne estava na cozinha, perto do fogão, fazendo ovos mexidos, com uma xícara de café sobre o balcão ao seu lado. Quando se virou, ele pôde ver que seus olhos estavam inchados e vermelhos.

— Oi — ele arriscou.

— Oi — ela respondeu, voltando a ficar de costas e começando a mexer os ovos mais depressa, mantendo os olhos na frigideira —, imaginei que você fosse querer tomar café antes de sair.

— Obrigado.

— Quando vim pra cá, eu trouxe uma garrafa térmica de casa. Por isso, se quiser levar um pouco de café para a viagem, pode ficar com ela.

— Obrigado, mas acho que não é necessário. Acho que não vou precisar.

Ela continuou mexendo os ovos.

— Se quiser alguns sanduíches, também posso fazer.

Paul aproximou-se dela.

— Você não precisa fazer isso. Eu posso comer alguma coisa mais tarde. Mas, honestamente, duvido que vá ter fome.

Ele teve a impressão de que ela não estava prestando atenção e colocou a mão em suas costas. Sentiu que a respiração de Adrienne estava trêmula, como se ela estivesse segurando o choro.

— Ei...

— Eu estou bem — ela sussurrou.

— Tem certeza?

Ela fez que sim e tirou a frigideira da boca do fogão. Limpou os olhos e fungou, ainda evitando os olhos dele. Vendo-a desse jeito, ele se lembrou da primeira vez em que a encontrara na varanda e sentiu um nó na garganta. Paul não conseguia acreditar que havia passado menos de uma semana desde então.

— Adrienne... não...

Então ela ergueu os olhos para ele.

— Não o quê? Não fique triste? Você está indo para o Equador e eu tenho de voltar para Rocky Mount. Como é que posso evitar isso se não quero que tudo acabe desse jeito?

— Eu também não.

— É por isso que estou triste — ela hesitou, tentando manter o controle sobre seus sentimentos —, porque também sei disso. Quando me levantei hoje cedo, disse a mim mesma que não iria chorar de novo. Disse a mim mesma que iria me manter forte e feliz, para que você se lembrasse de mim desse jeito. Mas quando ouvi você ligando o chuveiro, pensei que não o encontraria quando acordasse amanhã de manhã, que você não estaria mais ao meu lado e então não consegui evitar. Mas vou ficar bem. Vou mesmo. Eu sou forte.

Ela falou tudo aquilo como se estivesse tentando convencer a si mesma. Paul pegou sua mão.

— Adrienne... ontem à noite, depois que você pegou no sono, eu fiquei pensando que talvez pudesse ficar um pouco mais. Mais um ou dois meses não vai fazer tanta diferença, e assim poderíamos ficar juntos.

Ela balançou a cabeça, interrompendo o que ele estava dizendo.

— Não, você não pode fazer isso com Mark. Não depois de tudo o que vocês passaram. E você precisa fazer isso, Paul. Isso o está corroendo por dentro; se você não for agora, fico imaginando se irá algum dia. O fato de ficar mais tempo comigo não vai facilitar a despedida quando chegar a hora novamente, e eu não conseguiria viver comigo mesma sabendo que fui a responsável por manter você e seu filho separados. Mesmo que planejássemos direitinho a sua partida, eu sei que choraria de novo.

Ela exibiu um sorriso corajoso antes de prosseguir.

— Você não pode ficar. Nós dois sabemos que você iria embora antes de começarmos essa nossa história. Apesar de ser difícil, sabemos que é a coisa certa a fazer — é assim que funciona quando se é pai. Às vezes é preciso fazer sacrifícios, e este é um deles.

Ele concordou com a cabeça, seus lábios estavam tensos. Sabia que era o certo, mas desejou desesperadamente que não fosse.

— Promete que vai esperar por mim? — ele perguntou por fim, com a voz engasgada.

— É claro. Se eu pensasse que você está indo embora para sempre, estaria chorando tanto que você teria de tomar seu café da manhã em um bote para não morrer afogado.

Apesar de tudo, Paul riu, e Adrienne encostou-se nele. Ela o beijou e ele, então, abraçou-a. Ele conseguia sentir o calor de seu corpo, sentir levemente o perfume dela. Ela se sentia tão bem nos braços dele. Tão perfeita.

— Não sei como ou por que isso foi acontecer, mas acho que o destino me trouxe até aqui — ele disse — para conhecer você. Passei tantos anos da minha vida sentindo falta de alguma coisa, mas eu não sabia o que era. E agora sei.

Ela fechou os olhos.

— Eu também — sussurrou.

Paul beijou os cabelos de Adrienne e, então, pousou o rosto na cabeça dela.

— Você vai sentir minha falta?

Adrienne forçou um sorriso.

— Cada minuto da minha vida.

Tomaram café juntos. Adrienne não estava com fome, mas se forçou a comer, e também se forçou a sorrir de vez em quando. Paul beliscou a comida, demorando mais do que de costume para limpar o prato, e, quando terminaram, levaram os pratos para a pia.

Eram quase nove horas. Paul pegou Adrienne pela mão para levá-la até a porta da frente. Ele colocou uma mochila de cada vez nos ombros. Adrienne segurou a carteira de couro com a passagem e o passaporte e depois a entregou a ele.

— Acho que é isso — ele falou.

Ela comprimiu os lábios. Os olhos de Paul, assim como os dela, estavam avermelhados, e ele procurou mantê-los baixos, como se tentasse escondê-los.

— Você sabe como fazer para falar comigo na clínica. Eu não sei como é o sistema de correio, mas acho que as cartas devem chegar. Mark sempre recebeu tudo o que Martha lhe mandou.

— Obrigada.

Ele balançou a carteira.

— Estou com seu endereço aqui. Vou escrever pra você assim que chegar lá. E também vou ligar, assim que puder.

— Tudo bem.

Ele estendeu o braço para tocar o rosto dela, e ela se inclinou na direção da mão dele. Eles sabiam que não havia mais nada a dizer.

Ela o seguiu e desceu as escadas atrás dele, observando-o enquanto ele colocava as mochilas no banco traseiro do carro. Depois de fechar a porta do carro, Paul ficou olhando para ela durante algum tempo, incapaz de se afastar, desejando de novo não ter de ir. Finalmente, aproximou-se de Adrienne e lhe deu um beijo em cada lado do rosto, depois na boca. E tomou-a nos braços.

Adrienne apertou os olhos e manteve-os fechados. "Ele não estava indo embora para sempre", disse a si mesma. Eles tinham sido feitos um para o outro; teriam todo o tempo do mundo quando ele voltasse. Iriam envelhecer juntos. Ela já tinha vivido todo esse tempo sem ele — o que seria mais um ano, certo?

Mas não era tão fácil. Ela sabia que, se os seus filhos fossem mais velhos, iria encontrar-se com ele no Equador. Se o filho de Paul não precisasse dele, ele poderia ficar ali com ela. Suas vidas estavam seguindo caminhos diferentes devido às responsabilidades que tinham em relação a outras pessoas, e de repente isso pareceu tremendamente injusto para Adrienne. Como é que a possibilidade de serem felizes havia chegado nesse ponto?

Paul respirou profundamente e, enfim, encontrou coragem para se afastar. Olhou de lado por um instante, e depois para ela outra vez, enxugando os olhos.

Ela o acompanhou até o lado do motorista e ele entrou no carro. Com um sorriso fraco, colocou a chave na ignição e acionou o motor do carro. Ela se afastou da porta aberta e ele a fechou, depois abaixou o vidro.

— Um ano — ele disse — e eu volto. Eu lhe dou minha palavra.

— Um ano — ela sussurrou como resposta.

Ele sorriu para ela com tristeza, depois engatou a ré e o carro começou a andar para trás. Ela se virou para olhar, sentindo uma profunda dor no peito ao encontrar o olhar de Paul.

Ao deixar a entrada de carro, ele colocou a mão no vidro da porta pela última vez. Adrienne ergueu a sua e viu o carro seguir pela estrada, afastando-se de Rodanthe, afastando-se dela.

Ela permaneceu ali em pé observando o carro que ia ficando pequeno ao longe, enquanto desaparecia o barulho do motor. Então, poucos minutos depois, ele sumiu, como se nunca tivesse estado ali.

A manhã estava fria e o céu azul, coberto por nuvens brancas. Acima dela passou voando um bando de andorinhas. Os amores-perfeitos abriam suas pétalas coloridas para o sol. Adrienne se virou e caminhou em direção à porta.

O interior da pousada parecia exatamente igual ao dia de sua chegada. Não havia nada fora do lugar. Ele tinha limpado a lareira no dia anterior e colocado outras toras de madeira; as cadeiras de balanço estavam de volta aos lugares que costumavam ocupar. A mesa da recepção estava em ordem, e todas as chaves estavam em seus lugares.

Mas o cheiro permanecia. O cheiro do café que haviam tomado juntos, o cheiro de loção pós-barba, o cheiro dele, recendendo em suas mãos, e em seu rosto, e em suas roupas.

Aquilo era demais para Adrienne, e os sons da pousada em Rodanthe já não eram mais o que haviam sido um dia. Já não havia mais o eco de conversas tranquilas, ou o barulho da água correndo pelos canos, ou o ritmo das pegadas enquanto ele caminhava pelo quarto. Já não havia mais o barulho das ondas e o barulho persistente da tempestade, do fogo queimando na lareira. Em vez disso, a pousada foi tomada pelos sons de uma mulher que só queria ser confortada pelo homem que amava, uma mulher que não podia fazer outra coisa senão chorar.

Capítulo dezesseis

Rocky Mount, 2002

Adrienne tinha acabado de contar sua história e estava com a garganta seca. Apesar do efeito relaxante de uma única taça de vinho, ela estava sentindo dor nas costas devido ao fato de estar sentada na mesma posição há muito tempo. Ela se mexeu na cadeira, sentiu uma pontada e reconheceu o sinal de que estava começando a ter artrite. Ela se lembrou de que ao falar disso para o médico, ele tinha mandado que se sentasse em uma mesa em uma sala que cheirava a amoníaco. Ele erguera seus braços e lhe pedira para dobrar os joelhos, depois lhe dera uma receita que ela nunca tinha se preocupado em olhar. Não era uma coisa tão séria naquela época, ela disse a si mesma; além disso, tinha a teoria de que, se começasse a tomar remédio para alguma coisa, logo em seguida viriam remédios para todos os tipos de problema que costumavam rondar as pessoas da sua idade. Não iria demorar muito e teriam se transformado num verdadeiro arco-íris, alguns para serem tomados pela manhã, outros, à noite, alguns com a comida e outros não; ela iria precisar fazer um quadro para pregar no armário de remédios para tomá-los corretamente. O trabalho seria tão grande que não valeria a pena.

Amanda continuava sentada, com a cabeça inclinada. Adrienne ficou olhando para ela, sabendo que iria fazer perguntas. Elas eram inevitáveis, mas esperava que demorassem um pouco. Precisava de tempo para organizar seus pensamentos, para poder terminar o que havia começado.

Estava feliz por Amanda ter concordado em vir se encontrar com ela ali, em sua casa. Ela havia morado naquela casa por mais de trinta anos, e era seu lar, mais do que a casa em que havia morado quando criança. É claro que algumas das portas estavam fazendo barulho, o carpete do corredor estava gasto e fino como uma folha de papel, e a cor dos azulejos do banheiro era antiquada já há muitos anos, mas havia uma coisa reconfortante no fato de saber que encontraria o material para acampar no canto esquerdo do sótão e que a bomba de aquecimento iria falhar quando fosse ligada pela primeira vez no inverno. Aquele lugar tinha hábitos, assim como ela, e ao longo dos anos eles haviam se misturado de tal forma que sua vida se tornara bastante previsível e estranhamente reconfortante.

Era a mesma coisa com a cozinha. Fazia anos que Matt e Dan estavam lhe oferecendo ajuda para fazer uma reforma. No seu aniversário chegaram a mandar um empreiteiro para dar uma olhada geral na casa. Ele deu umas batidinhas nas portas, apertou alguns parafusos, verificou os interruptores e soltou um assobio ao fazer uma avaliação do local que ela ainda usava para cozinhar. No final, ele havia sugerido que ela trocasse tudo, e acabou deixando um orçamento e algumas referências. Apesar de saber que seus filhos estavam agindo com as melhores intenções, disse a eles que era melhor guardar o dinheiro para algo de que suas próprias famílias pudessem precisar.

Além disso, ela gostava da velha cozinha do jeito que era. Se a modernizasse estaria mudando sua personalidade, e ela gostava das lembranças guardadas ali. Afinal, tinha sido ali que eles haviam passado a maior parte do tempo reunidos como família, tanto antes quanto depois de Jack ter ido embora. As crianças haviam feito a lição de casa na mesa à qual estava sentada agora; durante anos, o único telefone da casa era o que ficava pendurado naquela parede, e ela ainda se lembrava da época em que via o fio do telefone esticado até a parte de trás da porta quando um deles buscava um pouco de privacidade para falar na varanda. No suporte das prateleiras da despensa, ainda havia as marcas de lápis que mostravam o crescimento das crianças ao longo dos anos, e ela não conseguia se imaginar trocando tudo isso por algo novo e moderno, por mais bonito que fosse. Ao contrário da sala de estar, onde a televisão estava sempre ligada, ou dos quartos, para onde todos iam quando queriam ficar sozinhos, esse era o lugar em que todos ficavam para falar e ouvir, aprender e ensinar, rir e chorar. Era nesse lugar que seu lar era o que devia ser; era o lugar em que Adrienne sempre havia se sentido mais feliz.

E era nesse lugar que Amanda iria descobrir como era realmente sua mãe.

Adrienne acabou de tomar seu vinho e colocou o copo de lado. Agora não estava mais chovendo, mas as gotas que ainda continuavam na janela pareciam filtrar a luz de tal maneira que o mundo lá fora adquirira um aspecto diferente, como se fosse um lugar que ela mal conseguia reconhecer. Isso não a surpreendeu; enquanto ia envelhecendo, tinha descoberto que todas as vezes em que seus pensamentos voltavam para o passado, parecia que tudo ao seu redor ficava diferente. Nessa noite, enquanto contava sua história, sentiu como se tivesse voltado no tempo, e apesar de ser uma ideia ridícula, ficou imaginando se sua filha teria notado algum sinal de que havia remoçado.

Não, ela decidiu, era quase certo que não, mas isso era fruto da idade de Amanda. Amanda não conseguia imaginar o que era ter 60 anos, assim como não conseguia imaginar o que era ser um homem, e Adrienne às vezes se perguntava quando é que Amanda iria perceber que as pessoas, em sua maioria, não eram assim tão diferentes. Jovens e velhos, homens ou mulheres, quase todas as pessoas que ela conhecia queriam as mesmas coisas: queriam sentir paz em seus corações, queriam uma vida sem sobressaltos, queriam ser felizes. A diferença, Adrienne pensou, era que a maioria dos jovens pensava que essas coisas estavam em algum lugar no futuro, enquanto quase todas as pessoas mais velhas acreditavam que essas coisas haviam ficado no passado.

Isso valia também para ela, pelo menos em parte; mas por mais maravilhoso que tivesse sido o passado, ela se recusava a aceitar que continuasse perdida da maneira como muitas das suas amigas haviam ficado. O passado não era apenas um jardim de rosas sob um sol resplandecente; o passado também tinha sua parcela de desencanto. Ela havia se sentido assim em relação ao efeito de Jack sobre sua vida quando chegara na pousada, e se sentia assim em relação a Paul Flanner agora.

Essa noite, ela iria chorar; mas como havia prometido a si mesma todos os dias desde que deixara Rodanthe, ela iria seguir em frente. Era uma sobrevivente, como lhe dissera seu pai tantas vezes, e apesar de haver certa satisfação nessa constatação, isso não eliminava a dor ou a tristeza.

Hoje em dia, ela tentava se concentrar naquelas coisas que lhe davam alegria. Adorava ficar olhando os netos enquanto descobriam o mundo, adorava visitar os amigos e descobrir o que estava acontecendo na vida deles; ela até havia aprendido a gostar dos dias em que passava trabalhando na biblioteca.

O trabalho não era difícil — ela agora trabalhava na seção de obras de referência, onde os livros não podiam ser retirados — e como poderia demorar muito tempo para que precisassem dela para alguma coisa, tinha a chance de ficar olhando para as pessoas que entravam pelas portas de vidro do edifício. Com o correr dos anos, havia desenvolvido um certo carinho por essa atividade. Enquanto as pessoas se sentavam nas mesas ou nas cadeiras das salas tranquilas, achava difícil não ficar imaginando como seriam suas vidas. Ela ficava tentando adivinhar se uma pessoa era casada ou no que trabalhava, em que parte da cidade morava, ou que livros poderiam interessar-lhe, e de vez em quando, tinha a oportunidade de descobrir se havia acertado. A pessoa poderia procurá-la em busca de ajuda para encontrar determinado livro, e então ela dava um jeito de puxar conversa. Na maioria das vezes, acabava chegando muito perto em suas adivinhações e ficava se perguntando como havia pensado naquilo.

De vez em quando, aparecia alguém interessado nela. Anos atrás, esses homens geralmente eram mais velhos do que ela; agora tendiam a ser mais jovens, mas de qualquer jeito o processo era o mesmo. Quem quer que fosse, começaria a passar algum tempo no setor de obras de referência, faria muitas perguntas, primeiro a respeito de livros, depois a respeito de assuntos gerais, e finalmente a respeito dela. Ela não se importava em responder, e, apesar de nunca ter alimentado qualquer coisa, muitos deles acabavam lhe fazendo convites para sair. Ela sempre ficava muito envaidecida quando isso acontecia, mas no fundo do coração sabia que, por mais maravilhoso que pudesse ser o pretendente, por mais que apreciasse sua companhia, ela não conseguiria abrir seu coração da maneira como havia aberto no passado.

O tempo que passara em Rodanthe também a havia mudado em outros aspectos. Seu relacionamento com Paul ajudou-a a superar seus sentimentos de perda e traição por causa do divórcio e substituí-los por algo mais forte e também mais suave. O fato de saber que podia ser amada ajudou-a a manter a cabeça erguida, e com o aumento da confiança em si mesma, ela foi conseguindo manter com Jack conversas sem duplo sentido ou insinuações, sem a culpa ou o arrependimento que era incapaz de esconder no passado. Isso foi acontecendo gradualmente; ele telefonava para falar com as crianças e eles acabavam conversando por alguns minutos antes que ela passasse o telefone. Depois, ela começou a perguntar sobre Linda ou sobre seu trabalho, ou então lhe falava a respeito de alguma coisa que estivesse fazendo. Pouco a pouco, Jack pareceu perceber que ela não era mais a pessoa que costumava ser. As conversas começaram a ficar mais amigáveis com o passar dos meses e dos anos e às vezes eles ligavam um para o outro apenas para conversar. Quando o casamento de Jack e Linda começou a ir mal, eles passavam horas ao telefone, às vezes até tarde da noite. Quando eles se divorciaram, Adrienne foi até lá para lhe dar apoio, e até permitiu que ele ocupasse o quarto de hóspedes quando vinha visitar as crianças. Ironicamente, Linda o deixara por causa de outro homem, e Adrienne se lembrava de estar sentada na sala de estar com Jack enquanto ele virava um copo de *scotch*. Passava da meia-noite, e ele já estava há algumas horas falando de tudo o que estava passando quando finalmente se deu conta de quem estava ouvindo todas as suas lamentações.

— Você também ficou muito magoada? — ele perguntou.

— Fiquei.

— Quanto tempo você levou para superar?

— Três anos — ela disse —, mas eu tive sorte.

Jack fez que sim com a cabeça. Comprimindo os lábios, ele olhou fixamente para a bebida.

— Eu sinto muito. A coisa mais estúpida que eu já fiz na minha vida foi sair por aquela porta — ele disse.

Adrienne sorriu e deu um tapinha em seu joelho.

— Eu sei. Mas obrigada assim mesmo.

Um ano depois disso, Jack telefonou e a convidou para jantar. E como havia feito com todos os outros, Adrienne delicadamente recusou o convite.

Adrienne levantou-se e foi até a bancada apanhar a caixa que havia trazido de seu quarto, e depois voltou para a mesa. Amanda estava olhando para ela, quase fascinada. Adrienne sorriu enquanto estendia o braço para pegar a mão da filha.

Ao fazer isso, Adrienne pode ver que, em algum momento durante as últimas horas, Amanda havia percebido que não conhecia sua mãe tão bem quanto acreditava. Aquilo significava uma inversão total de papéis, Adrienne pensou. Amanda tinha nos olhos a mesma expressão que Adrienne tantas vezes havia mostrado no passado, quando as crianças se reuniam nas férias e faziam brincadeiras com alguma coisa que haviam feito quando eram mais novos. Fazia apenas alguns anos que ela havia descoberto que Matt costumava fugir de seu quarto e sair com os amigos tarde da noite, ou que Amanda tinha começado e tinha largado o cigarro quando entrara no colegial, ou que Dan era o verdadeiro responsável pelo pequeno incêndio na garagem e não um defeito na tomada. Ela tinha rido com eles, sentindo-se ao mesmo tempo ingênua, e ficou imaginando se Amanda estaria se sentindo daquele jeito agora.

Na parede, o relógio marcava as horas, com uma batida regular e uniforme. A bomba do aquecedor estalou com uma batida. Nesse momento, Amanda soltou um suspiro.

— É uma história e tanto — ela disse.

Enquanto falava, Amanda pegou o copo de vinho com a mão livre, girando-o em círculos. O vinho captou a luz, irradiando uma luz difusa.

— Matt e Dan sabem disso? Quer dizer, você já contou pra eles?

— Não.

— Por que não?

— Eu não acho que eles precisem saber — Adrienne sorriu —, além disso, eu não sei se eles entenderiam, independentemente do que eu contasse para eles. Primeiro, porque são homens, e um pouco porque têm aquele lado de querer proteger — e não quero que eles pensem que Paul estava apenas se aproveitando de uma mulher solitária. Os homens têm essas coisas — se conhecem alguém e se apaixonam, é de verdade, mesmo que tenha acontecido rápido demais. Mas se alguém se apaixona por uma mulher de quem eles gostam, só querem saber quais são as intenções do homem. Para ser franca, não sei se algum dia contarei a eles.

Amanda concordou com a cabeça, antes de perguntar:

— E por que contou pra mim?

— Porque pensei que seria você bom pra você.

Amanda começou a mexer no cabelo, completamente absorta. Adrienne ficou pensando se esse hábito seria genético ou se havia sido adquirido com a observação.

— Mãe?

— Sim?

— Por que você nunca nos falou a respeito dele? Quer dizer, você nunca mencionou nada.

— Eu não podia.

— Por que não?

Adrienne respirou profundamente e se endireitou na cadeira em que estava sentada.

— No começo, acho que estava com medo de que não fosse real. Eu sei que nos amávamos, mas a distância pode fazer coisas estranhas com as pessoas, e antes de contar para vocês, eu queria ter certeza de que iria durar. Depois, quando comecei a receber cartas dele e soube que... eu não sei... simplesmente me pareceu que iria demorar tanto tempo até que vocês o conhecessem que eu não vi motivo para...

Ela não terminou a frase e escolheu as palavras cuidadosamente quando voltou a falar.

— Você também tem de entender que hoje vocês são diferentes do que eram naquela época. Você tinha 17 anos, Dan tinha apenas 15, e eu não sabia se vocês estavam preparados para saber uma coisa dessas. Quer dizer, como você se sentiria se estivesse voltando da casa de seu pai e eu lhe contasse que estava apaixonada por um homem que tinha acabado de conhecer?

— Nós poderíamos ter dado um jeito.

Adrienne não tinha tanta certeza disso, mas não queria discutir com Amanda. Simplesmente deu de ombros.

— Quem sabe. Talvez você esteja certa. Talvez vocês tivessem aceitado uma coisa dessas, mas na época eu não quis arriscar. Se tivesse de fazer tudo de novo, provavelmente faria tudo igual.

Amanda se mexeu na cadeira. Depois olhou para a mãe diretamente nos olhos.

— Tem certeza de que ele amava você?

— Tenho — Adrienne respondeu.

Os olhos de Amanda pareciam quase verde-azulados sob a luz fraca. Ela sorriu docemente, como se estivesse querendo dizer uma coisa óbvia sem magoar sua mãe.

Adrienne sabia qual era a pergunta que Amanda iria fazer em seguida. Era a única pergunta lógica que ainda não tinha sido feita.

Amanda se inclinou para a frente, o rosto cheio de preocupação.

— Então, onde está ele?

Durante os catorze anos que se passaram desde que vira Paul Flanner pela última vez, Adrienne tinha viajado para Rodanthe cinco vezes. A primeira viagem foi em junho do mesmo ano e, apesar de ter a sensação de que a areia parecia mais branca e de que o céu parecia se fundir com o mar no horizonte, ela fez as outras viagens nos meses de inverno, quando o mundo ficava cinza e frio, sabendo que assim a lembrança do passado teria mais força.

Na manhã em que Paul foi embora, Adrienne vagou pela casa, sem conseguir permanecer em um lugar. O movimento parecia ser a única maneira que havia encontrado para ficar longe de seus pensamentos. No fim da tarde, quando o entardecer começava a cobrir o céu com tons de vermelho e laranja, ela saiu da casa e ficou apreciando essas cores, tentando ver no céu o avião que levava Paul. As chances de que conseguisse vê-lo eram ínfimas, mas ela continuou lá fora, morrendo de frio com o cair da noite. De vez em quando, via entre as nuvens o rastro de um jato, mas a lógica lhe dizia que devia ser dos aviões da base naval de Norfolk. Quando resolveu entrar, suas mãos estavam adormecidas, e ela as colocou debaixo da água quente da pia, sentindo a dor. Apesar de saber que ele havia partido, colocou dois lugares à mesa para o jantar.

Havia uma parte dela esperando que ele voltasse. Enquanto jantava, imaginou-o atravessando a porta da frente, largando as malas no chão, explicando que não conseguiria ir embora sem passar mais uma noite com ela. Iriam embora no dia seguinte, ou no outro, diria ele, e seguiriam a estrada para o Norte, até ela desviar na direção de sua casa.

Mas ele não apareceu. A porta da frente nunca se abriu, o telefone não tocou. Por mais que Adrienne desejasse que ele ficasse, sabia que tinha agido corretamente ao insistir para que ele fosse. A separação não seria mais fácil se ficasse mais um dia; outra noite juntos significaria apenas que teriam de se despedir novamente, e a primeira vez já tinha sido bastante difícil. Ela não conseguia se imaginar tendo de dizer aquelas palavras uma segunda vez, e também não conseguia se imaginar tendo de viver outro dia como aquele que estava terminando.

Na manhã seguinte, ela começou a limpar a pousada, movimentando-se com firmeza, concentrando-se no trabalho. Lavou a louça e se certificou de que estivesse tudo seco e guardado no lugar. Passou aspirador de pó nos tapetes, varreu a areia da cozinha e da entrada, tirou o pó do corrimão e dos abajures da sala de estar, depois arrumou o quarto de Jean até ficar exatamente do jeito que estava quando chegou.

Então, depois de levar sua mala para o andar de cima, abriu a porta do quarto azul.

Não tinha entrado ali desde a manhã anterior. A luz da tarde era refletida através de arco-íris nas paredes. Ele havia arrumado a cama antes de descer para tomar café, mas talvez tivesse percebido que não precisava deixá-la bem feita. Havia pequenas saliências sob o edredom nos lugares em que o cobertor tinha ficado amassado, e em alguns pontos o lençol estava saindo pra fora, quase encostando no chão. No banheiro, havia uma toalha pendurada sobre a cortina do box, e havia outras duas amassadas perto da pia.

Ela ficou ali parada, apenas observando, até soltar um suspiro e colocar sua mala no chão. Ao fazer isso, reparou no bilhete que Paul havia escrito para ela e que havia deixado sobre a cômoda. Adrienne pegou a carta e se sentou na beira da cama. Na tranquilidade do quarto em que haviam se amado, ela leu o que ele havia escrito na manhã anterior.

Quando terminou, Adrienne abaixou o papel e permaneceu imóvel, pensando em Paul enquanto escrevia. Então, depois de dobrá-lo cuidadosamente, ela o colocou em sua mala junto com a concha. Quando Jean chegou, algumas horas depois, Adrienne estava encostada no parapeito da varanda dos fundos, olhando para o céu novamente.

Jean estava como sempre, exuberante, feliz por ver Adrienne, feliz por estar de volta, falando sem parar a respeito do casamento e do velho hotel em Savannah onde havia ficado hospedada. Adrienne deixou que Jean continuasse contando suas histórias sem interrompê-la; depois do jantar, disse a Jean que estava com vontade de caminhar pela praia. Jean agradeceu, mas dispensou o convite para acompanhá-la.

Quando Adrienne voltou, Jean estava desfazendo as malas em seu quarto; Adrienne preparou uma xícara de chá e foi sentar perto da lareira. Estava sentada na cadeira de balanço quando ouviu Jean entrando na cozinha.

— Onde é que você está? — Jean falou em voz alta.

— Aqui — respondeu Adrienne.

Jean apareceu pouco depois.

— Será que ouvi o apito da chaleira?

— Acabei de preparar uma xícara.

— E desde quando você toma chá?

Adrienne sorriu, mas não respondeu.

Jean sentou-se na outra cadeira de balanço. Lá fora, a lua tinha surgido no céu, grande e brilhante, fazendo a areia brilhar com a cor de potes e panelas antigos.

— Você está muito quieta.

— Desculpe. Só estou um pouco cansada. Acho que estou pronta pra voltar pra casa.

— Acredito. Eu vim contando os quilômetros desde que saí de Savannah, mas pelo menos não peguei muito trânsito. Baixa temporada, você sabe como é.

Adrienne acenou com a cabeça.

Jean recostou-se na cadeira.

— Foi tudo bem com Paul Flanner? Espero que a tempestade não tenha estragado sua estadia.

Ao ouvir o nome dele, Adrienne sentiu um nó na garganta, mas procurou manter-se calma.

— Eu acho que a tempestade não o incomodou.

— Conte alguma coisa sobre ele. Pela voz, tive a impressão de que era um sujeito mal-humorado.

— Não, de forma nenhuma. Ele era... agradável.

— Foi muito estranho ficar aqui sozinha com ele?

— Não. Foi tudo muito tranquilo.

Jean ficou esperando para ver se Adrienne dizia mais alguma coisa, mas ela não disse nada.

— Bem... isso é bom. E você não teve nenhum problema para proteger a casa da tempestade?

— Não.

— Que bom. Fico muito agradecida por ter me feito esse favor. Eu sei que você estava contando com um fim de semana tranquilo, mas acho que o destino não estava do seu lado, não é?

— Acho que não.

Talvez o jeito com que disse isso, fez com que Jean olhasse para ela com uma expressão curiosa no rosto. Adrienne terminou logo o chá, sentindo que estava precisando de espaço para si mesma.

— Detesto fazer isso com você, Jean — ela disse, esforçando-se ao máximo para fazer com que sua voz parecesse natural —, mas acho que vou dormir. Estou cansada, e vou ter uma longa viagem pela frente amanhã. Fico feliz que você tenha se divertido no casamento.

Jean ergueu as sobrancelhas, estranhando que a amiga interrompesse bruscamente a conversa.

— Bom... de qualquer forma, obrigada. E boa noite.

— Boa noite.

Adrienne podia sentir o olhar de Jean sobre ela, mesmo enquanto subia as escadas. Depois de abrir a porta do quarto azul, tirou a roupa e entrou na cama, nua e sozinha.

Ela sentiu o cheiro de Paul no travesseiro e nos lençóis, sentiu o contato nos seios ao afundar naquele cheiro, lutando contra o sono até não poder mais. Quando levantou na manhã seguinte, preparou um bule de café e saiu para outra caminhada pela praia.

Ela passou por dois casais na meia hora em que ficou fora. Uma nova frente havia esquentado o ar da ilha, e ela sabia que com o correr do dia isso atrairia mais gente para a beira da água.

Paul já devia ter chegado na clínica a essa hora, e ficou imaginando como seria. Tinha uma imagem em sua cabeça, alguma coisa que havia visto na televisão — uma série de construções reunidas aleatoriamente cercadas pela floresta densa, uma estrada de terra passando na frente, pássaros exóticos piando ao fundo —, mas duvidava que fosse verdade. Ficou pensando se ele já teria conversado com Mark e como havia sido o encontro; se Paul, assim como ela, ainda estava revivendo o fim de semana em sua mente.

A cozinha estava vazia quando voltou. Viu o açucareiro aberto ao lado da cafeteira com uma xícara do lado. Ouviu o barulho abafado de alguém andando no andar de cima.

Adrienne foi seguindo aquele som e, quando chegou ao primeiro andar, viu a porta do quarto azul aberta. Ela se aproximou e viu Jean inclinada sobre a cama, terminando de colocar um lençol limpo na cama. Os lençóis que a haviam coberto junto com Paul tinham sido jogados no chão.

Adrienne olhou para eles, sabendo que era ridículo ficar chateada, mas de repente percebeu que iria demorar um ano até poder sentir o cheiro de Paul Flanner novamente. Ela suspirou profundamente, tentando conter o choro.

Jean virou-se de repente, surpresa com aquele som, os olhos arregalados.

— Adrienne? Você está bem? — ela perguntou.

Mas Adrienne não conseguiu responder. Só conseguiu cobrir o rosto com as mãos, sabendo que a partir desse momento, ficaria contando os dias até que Paul voltasse.

— Paul — Adrienne respondeu para a filha — está no Equador.

Sua voz estava surpreendentemente firme, ela reparou.

— Equador — Amanda repetiu.

Ela tamborilou com os dedos na mesa enquanto olhava fixamente para a mãe.

— Por que ele não voltou?

— Ele não podia.

— Por que não?

Em vez de responder para a filha, Adrienne abriu o fecho da caixa e tirou uma folha de papel. Amanda teve a impressão de que era uma folha de caderno; dobrada, tinha amarelado com o tempo. Amanda viu o nome de sua mãe escrito em cima.

— Antes de lhe contar — Adrienne continuou —, quero responder outra pergunta.

— Que pergunta?

Adrienne sorriu.

— Você me perguntou se eu tinha certeza de que ele me amava — ela empurrou o pedaço de papel por cima da mesa para a filha — este é o bilhete que ele escreveu no dia em que foi embora.

Amanda hesitou antes de pegá-lo, depois abriu o papel lentamente. Com a mãe sentada do outro lado da mesa, começou a ler.

Querida Adrienne,

Você não estava do meu lado quando acordei esta manhã, e apesar de saber por que você foi embora, gostaria que não tivesse ido. Eu sei que é egoísmo da minha parte, mas acho que essa é uma das características que conservei, uma constante em minha vida.

Se estiver lendo isto, significa que fui embora. Quando acabar de escrever, vou descer e pedir para ficar com você mais um pouco, mas não tenho ilusões quanto ao que você vai me dizer.

Isto não é um adeus, e não quero que pense nem por um minuto que esse é o motivo por ter escrito esta carta. Pelo contrário, vou encarar o ano que temos pela frente como uma chance de conhecer você melhor do que conheço agora. Já ouvi falar de pessoas que se apaixonam por cartas, e apesar de já estarmos aqui, isso não quer dizer que nosso amor não possa se tornar mais profundo, não é mesmo? Gostaria de pensar que é possível, e se quiser saber a verdade, essa convicção é a única coisa com a qual espero contar para suportar o próximo ano sem você.

Se fechar os meus olhos, posso vê-la andando pela praia em nossa primeira noite juntos. Com a luz dos relâmpagos brilhando no seu rosto, você estava absolutamente linda, e acho que essa é parte da razão por que consegui me abrir para você de uma maneira que nunca tinha conseguido antes. Mas não foi apenas a sua beleza que mexeu comigo. Foi tudo o que você é — sua coragem e sua paixão, a sabedoria com que você vê o mundo. Acho que senti essas coisas na primeira vez em que tomamos café. Quanto mais eu a conhecia, mais percebia o quanto sentia falta dessas qualidades em minha própria vida. Você é uma pessoa rara, Adrienne, e sou um homem de sorte por ter tido a oportunidade de conhecê-la.

Espero que você esteja bem. Enquanto escrevo esta carta, sei que não estou. Dizer adeus para você hoje é a coisa mais difícil que poderia fazer, e posso garantir que, quando voltar, nunca mais vou fazer isso de novo. Eu te amo agora pelo que já compartilhamos, e te amo agora esperando por tudo o que virá. Você é a melhor coisa que já aconteceu em minha vida. Antecipadamente sinto saudade, mas no meu coração eu tenho certeza de que você estará sempre comigo. Nos poucos dias que passei com você, você se tornou meu sonho.

Paul

O ano seguinte à partida de Paul foi diferente de todos os outros anos da vida de Adrienne. Aparentemente, as coisas correram normalmente. Ela continuou a participar ativamente da vida dos filhos, fazia visitas para conversar com seu pai uma vez por dia, trabalhou na biblioteca como sempre. Mas por dentro sentia um prazer renovado, alimentado pelo segredo que guardava com ela. A mudança em seu comportamento não passou despercebida pelas pessoas que a cercavam. Estava mais sorridente, as pessoas comentavam às vezes, e até os filhos repararam que ela saía para caminhar depois do jantar e às vezes passava uma hora na banheira, alheia a tudo o que estava ao seu redor.

Nesses momentos, ela sempre pensava em Paul, mas sua imagem era mais real sempre que via o carro dos correios subindo a rua, parando e fazendo suas entregas.

O correio normalmente passava entre as 10h e as 11h da manhã, e Adrienne ficava perto da janela, esperando que o carro parasse na frente da sua casa. Depois que ia embora, ela caminhava até a caixa do correio e procurava pelos sinais reveladores de correspondência que ele enviava: os envelopes aéreos bege, os selos que mostravam um mundo que ela desconhecia, seu nome rabiscado no canto superior esquerdo.

Quando chegou a primeira carta, ela a leu na varanda dos fundos. Assim que terminou, voltou ao começo e a leu pela segunda vez lentamente, parando, detendo-se em suas palavras. Fez o mesmo com cada uma das cartas subsequentes e, quando começaram a chegar regularmente, percebeu que a mensagem que Paul havia escrito em seu bilhete era verdadeira. Apesar de não ser tão gratificante quanto se o estivesse vendo pessoalmente ou sentindo os braços dele ao redor do seu corpo, a paixão existente em suas palavras parecia conseguir fazer com que a distância entre eles fosse muito menor.

Adorava ficar imaginando como ele estaria ao escrever as cartas. Imaginava-o atrás de uma velha escrivaninha, com uma única lâmpada iluminando a expressão cansada de seu rosto. Punha-se a pensar se ele teria escrito depressa, com as palavras fluindo sem parar, ou se havia parado aqui e ali olhando para o vazio, organizando seus pensamentos. Às vezes as imagens adquiriam uma forma; com a carta seguinte podiam adquirir outra, dependendo do que ele tinha escrito. Adrienne fechava os olhos enquanto a segurava, tentando captar seu espírito.

Ela também escreveu para ele, respondendo a perguntas que ele havia feito, contando o que estava acontecendo em sua vida. Nesses dias, ela quase conseguia vê-lo ao seu lado; se a brisa leve mexesse seu cabelo, era como se Paul estivesse passando delicadamente o dedo em sua pele; se ouvisse a batida surda do relógio, era como se estivesse ouvindo o coração dele ao pousar a cabeça em seu peito. Mas quando pousava a caneta sobre o papel, seus pensamentos sempre voltavam para os últimos momentos que haviam passado juntos, abraçados na entrada de carro, o toque suave de seus lábios, a promessa de um único ano de separação e depois a vida inteira juntos.

Paul também telefonava de vez em quando, quando tinha a oportunidade de ir para a cidade; ao sentir a ternura de sua voz, ela sempre ficava com a garganta apertada. Acontecia a mesma coisa quando o ouvia dar risada ou quando sentia a dor em seu tom de voz ao lhe dizer o quanto sentia sua falta. Ele telefonava durante o dia, quando as crianças estavam na escola; sempre que ouvia o telefone tocar, ela percebia que precisava fazer uma pausa antes de atender, sempre com a esperança de que fosse ele. As conversas não eram longas, normalmente menos de vinte minutos, mas, junto com as cartas, eram suficientes para que ela suportasse alguns meses.

Na biblioteca, começou a tirar cópias de páginas de vários livros que falavam do Equador, da geografia à história; ela tirava cópia de tudo que chamasse sua atenção. Certa vez, quando uma das revistas de viagem publicou uma matéria sobre a cultura do lugar, ela comprou a revista e ficou sentada durante horas estudando as fotos e praticamente decorou todo o artigo, tentando saber o máximo que podia a respeito daquelas pessoas com quem estava trabalhando. Às vezes, mesmo contra a sua vontade, ficava imaginando se haveria alguma mulher por perto lançando para ele olhares carregados com o mesmo desejo que ela sentia.

Também escaneou as páginas dos jornais e publicações de medicina gravadas em microfichas em busca de informações a respeito da vida de Paul em Raleigh. Ela nunca mencionou ou disse nas cartas que estava fazendo isso — como ele sempre dizia nas cartas, tratava-se de uma pessoa que ele não queria voltar a ser —, mas estava curiosa. Encontrou uma matéria que havia saído no *The Wall Street Journal*, com sua foto no topo. O artigo dizia que ele estava com 38 anos e, ao olhar para a foto, viu pela primeira vez como ele era quando mais jovem. Apesar de reconhecer sua fisionomia imediatamente, algumas diferenças chamaram sua atenção — o cabelo mais escuro dividido no lado, a pele do rosto sem rugas, a expressão muito séria, quase dura — e lhe pareceram estranhas. Então ficava imaginando o que ele pensaria daquela matéria agora, ou se ele sequer se importaria com ela.

Ela também encontrou algumas fotografias dele em velhos exemplares do *Raleigh News and Observer*, encontrando-se com o governador ou comparecendo à inauguração da nova ala hospitalar do Duke Medical Center. Reparou que ele não aparecia sorrindo em nenhuma das fotos que viu. Aquele era um Paul que não conseguia imaginar, ela pensou.

Em março, sem que houvesse nenhuma razão especial, Paul conseguiu fazer com que enviassem rosas para sua casa e então começou a enviá-las todos os meses. Ela as colocava em seu quarto, imaginando que seus filhos iriam perceber e fazer algum comentário; mas eles estavam envolvidos em seu próprio mundo e nunca disseram qualquer coisa.

Em junho, ela voltou para Rodanthe e passou um longo fim de semana. Quando lá chegou, sentiu que Jean estava um pouco tensa, como se ainda estivesse tentando imaginar o que havia deixado Adrienne tão aborrecida da última vez em que estivera ali, mas, depois de uma hora de conversa tranquila, Jean voltou ao normal. Adrienne fez algumas caminhadas pela praia naquele fim de semana, procurando outras conchas, mas nunca encontrou alguma que não tivesse sido quebrada pelas ondas.

Quando voltou para casa, encontrou uma carta de Paul com uma fotografia que Mark havia tirado. Ao fundo estava a clínica, e apesar de estar mais magro do que seis meses atrás, parecia saudável. Ela apoiou a fotografia no saleiro enquanto escrevia a carta de resposta. Em sua carta, Paul havia lhe pedido que enviasse uma foto, então ela procurou em seus álbuns até encontrar uma boa foto para dar a ele.

O verão foi muito quente e abafado; ela passou quase todo o mês de julho a portas fechadas com o ar-condicionado no máximo; em agosto, Matt foi para a faculdade; Amanda e Dan voltaram para o colégio. Quando as folhas das árvores foram adquirindo uma cor de âmbar sob a luz suave do outono, começou a pensar nas coisas que poderia fazer junto com Paul quando ele voltasse. Imaginou uma ida a Biltmore Estate, em Asheville, para ver a decoração natalina; ficou imaginando o que as crianças pensariam dele quando chegasse para o jantar de Natal ou o que Jean faria quando reservasse um quarto na pousada em nome dos dois logo depois do ano-novo. Sem dúvida alguma, Jean ergueria as sobrancelhas diante disso. Sabendo como ela era, a princípio Jean não diria nada, preferindo circular com uma expressão ofendida como se quisesse dizer que já sabia de tudo e que só estava esperando que eles aparecessem.

Agora, sentada diante de sua filha, Adrienne recordou esses planos, refletindo que houve momentos no passado em que quase chegou a acreditar que eles realmente tinham acontecido. Costumava imaginar os cenários com detalhes vibrantes, mas ultimamente tentava deter esses pensamentos. A tristeza que sempre surgia depois dessas fantasias fazia com que se sentisse vazia, e sabia que era melhor passar o tempo com as pessoas que estavam ao seu redor, que ainda faziam parte da sua vida. Ela não queria sentir a dor que esses sonhos lhe traziam nunca mais. Mas, às vezes, apesar de todas as suas boas intenções, simplesmente não conseguia evitar.

— Uau! — Amanda murmurou, abaixando o bilhete e devolvendo-o para sua mãe.

Adrienne dobrou-o novamente, colocou-o de lado e então pegou a fotografia de Paul tirada por Mark.

— Este é o Paul — ela disse.

Amanda pegou a foto. Apesar da idade, ele era mais bonito do que ela havia imaginado. Ela olhou para os olhos que haviam cativado sua mãe. E depois sorriu.

— Dá pra ver por que você se apaixonou por ele. Você tem mais alguma?

— Não, só essa.

Amanda acenou com a cabeça, estudando a foto novamente.

— Você o descreveu muito bem — ela hesitou —, ele chegou a mandar alguma foto do Mark?

— Não, mas eles são parecidos — disse Adrienne.

— Você o conheceu?

— Sim.

— Onde?

— Aqui.

Amanda ergueu a sobrancelha.

— Nesta casa?

— Ele se sentou onde você está sentada agora.

— E onde nós estávamos?

— Na escola.

Amanda sacudiu a cabeça, tentando assimilar a nova informação.

— Sua história está ficando confusa.

Adrienne desviou o olhar e depois, lentamente, levantou-se da mesa. Ao sair da cozinha, ela sussurrou:

— Eu também fiquei confusa.

Em outubro, o pai de Adrienne tinha conseguido melhorar um pouco sua condição depois dos derrames, apesar de ainda não estar bem o bastante para deixar a clínica. Ela sempre passava algum tempo com ele, como fizera ao longo de todo o ano, fazendo-lhe companhia e tudo o que podia para que ficasse mais confortável.

Controlando cuidadosamente o orçamento, estava conseguindo economizar o bastante para mantê-lo na clínica até abril, mas depois não sabia como iria fazer. Como as andorinhas no verão, sua cabeça estava sempre voltando a essa preocupação, apesar de se esforçar ao máximo para que o pai não percebesse seu medo.

Quase todos os dias, encontrava a televisão ligada ao chegar, como se as enfermeiras da manhã acreditassem que o barulho poderia de alguma maneira diminuir a confusão de sua mente. A primeira coisa que fazia era desligar o aparelho. Adrienne era a única pessoa que visitava seu pai regularmente, além das enfermeiras. Apesar de entender a relutância de seus filhos, gostaria que eles o visitassem de vez em quando. Não apenas por seu pai, que queria vê-los, mas para seu próprio bem. Ele sempre acreditara na importância da família nas épocas boas e nas difíceis, pelas lições que se podiam aprender.

Seu pai havia perdido a capacidade de falar, mas ela sabia que ele conseguia entender o que lhe diziam. Com o lado direito do rosto paralisado, seu sorriso tinha uma forma estranha que ela achava encantadora. Era preciso muita maturidade e paciência para ver além das aparências e enxergar o homem que ela havia conhecido; apesar de seus filhos às vezes a surpreenderem demonstrando essas qualidades, em geral se sentiam desconfortáveis quando ela os obrigava a visitá-lo. Era como se olhassem para o avô e vissem um futuro que não conseguiam se imaginar enfrentando e ficavam assustados com a ideia de que talvez pudessem também acabar daquele jeito.

Ela ajeitava os travesseiros antes de se sentar na cama ao lado dele, depois pegava sua mão e falava. Na maioria das vezes, Adrienne o colocava a par dos últimos acontecimentos, ou falava da família, ou de como estavam as crianças, e ele ficava olhando fixamente para ela, sem tirar os olhos de seu rosto, comunicando-se em silêncio da única maneira que conseguia. Sentada ao lado dele, era inevitável que se lembrasse de sua infância — do cheiro de *Aqua Velva* no rosto dele, de quando colocavam feno na baia para o cavalo, da aspereza de sua barba quando ele lhe dava o beijo de boa noite, das palavras doces que sempre lhe dissera desde que era muito pequena.

Um dia antes do Halloween, Adrienne foi visitá-lo, sabendo o que precisaria fazer, pensando que já era hora de ele saber.

— Preciso lhe contar uma coisa — ela começou. Então, da maneira mais simples possível, ela falou a respeito de Paul e do quanto ele significava para ela.

Quando terminou, ficou imaginando o que ele estaria pensando a respeito do que ela havia acabado de contar. O cabelo de seu pai estava muito branco e ainda mais fino. Suas sobrancelhas ainda lembravam chumaços de algodão.

Ele sorriu, seu sorriso torto, e apesar de não emitir qualquer som, quando ele mexeu os lábios, ela sabia o que ele estava tentando dizer.

Sentiu um aperto na garganta e se inclinou sobre a cama, pousando a cabeça sobre seu peito. Ele colocou a mão boa em suas costas, e apesar da fraqueza, movimentou-a lentamente. Sob o seu corpo, ela conseguiu sentir as costelas dele e a batida fraca de seu coração.

— Ah, papai! — ela sussurrou — Eu também tenho orgulho de você.

Na sala de estar, Adrienne foi até a janela e abriu as cortinas. A rua estava vazia, e havia halos de luz em torno das lâmpadas dos postes de iluminação. Em algum lugar ao longe, um cachorro estava latindo para um invasor real ou imaginário.

Amanda ainda estava na cozinha, mas Adrienne sabia que acabaria vindo atrás dela. Tinha sido uma longa noite para as duas, e Adrienne encostou o dedo no vidro da janela.

O que eles tinham sido um para o outro, ela e Paul? Mesmo agora, ela ainda não tinha certeza. Não existia uma definição simples. Ele não tinha sido seu marido ou noivo; se o chamasse de namorado iria parecer que tivera um delírio adolescente; amante representava apenas uma pequena parte do que haviam compartilhado. Ele era a única pessoa de sua vida, ela pensou, que parecia desafiar qualquer descrição, e se perguntou quantas pessoas poderiam dizer a mesma coisa a respeito de alguém em suas vidas.

No alto, a lua estava cercada por nuvens azuis que a brisa levava para o leste. Na manhã seguinte, estaria chovendo na costa, e Adrienne percebeu que estava certa em não mostrar as outras cartas para Amanda.

O que Amanda poderia descobrir com a leitura daquelas cartas? Os detalhes da vida de Paul na clínica e como passava seus dias, talvez? Ou como era seu relacionamento com Mark e como evoluíra? Tudo isso ficava muito claro nas cartas, assim como seus pensamentos, medos e esperanças, mas nada disso era necessário para o que ela queria partilhar com a filha. Os itens que havia separado seriam suficientes.

Mesmo assim, sabia que depois que Amanda fosse embora, ela iria ler todas as cartas novamente, no mínimo pelo que havia feito esta noite. Junto à luz amarela da sua mesa de cabeceira, passaria o dedo pelas palavras, saboreando cada uma delas, sabendo que significavam mais para ela do que qualquer outra coisa que possuísse.

Esta noite, apesar da presença de sua filha, Adrienne estava sozinha. Estaria sempre sozinha. Sabia disso quando contou sua história na cozinha, sabia disso agora, parada junto à janela. Às vezes ficava imaginando em quem teria se transformado se Paul jamais tivesse entrado em sua vida. Talvez tivesse casado de novo, e apesar de achar que teria sido uma boa esposa, ficava se perguntando se teria conseguido escolher um bom marido.

Não teria sido fácil. Algumas de suas amigas viúvas ou divorciadas tinham se casado de novo. A maioria dos maridos parecia ser agradável, mas não se comparavam a Paul. Talvez a Jack, mas não a Paul. Ela acreditava que romance e paixão eram possíveis em qualquer idade, mas tinha ouvido de suas amigas o suficiente para saber que a maioria dos relacionamentos acabava sendo mais problemática do que deveria. Adrienne não queria ter um marido como o da maioria das suas amigas, não quando tinha cartas que a lembravam do que sentia falta. Será que um novo marido, por exemplo, algum dia iria lhe sussurrar no ouvido as palavras que Paul havia escrito em sua terceira carta, palavras que ela tinha decorado no primeiro dia em que as leu?

Quando durmo, sonho com você; quando acordo, sonho em tê-la nos meus braços. O tempo em que ficamos separados ao menos serviu para que eu tivesse certeza de que quero passar minhas noites ao seu lado e meus dias em seu coração.

Ou estas palavras, da carta seguinte?

Quando escrevo cartas pra você, sinto sua respiração; imagino que, ao lê-las, você sinta a minha. Isso acontece com você, também? Estas cartas agora fazem parte de nós, parte da nossa história, para nos lembrar eternamente que conseguimos superar este período de separação. Obrigado por me ajudar a sobreviver a este ano, mas, mais do que isso, desde já obrigado pelos anos que virão.

Ou mesmo estas, depois que ele e Mark tiveram uma discussão no final do verão, algo que o deixara muito deprimido.

Tenho desejado tanta coisa estes dias, porém, mais do que tudo, gostaria que você estivesse aqui. É estranho, mas não consigo me lembrar de quando foi que chorei pela última vez antes de conhecer você. Agora, parece que as lágrimas surgem facilmente... mas você tem um jeito de fazer com que a minha tristeza valha a pena, de explicar as coisas de um jeito que suaviza minha dor. Você é um verdadeiro tesouro, um presente; e quando estivermos juntos de novo, vou segurá-la em meus braços até ficarem fracos e eu não aguentar mais. As lembranças que tenho de você às vezes são a única coisa que me mantém em pé.

Observando a lua distante, Adrienne sabia qual era a resposta. Não, ela pensou, ela não encontraria um homem como Paul novamente, e, ao encostar a cabeça na janela fria, sentiu a presença de Amanda atrás dela. Adrienne suspirou, sabendo que havia chegado a hora de acabar com aquilo.

— Ele deveria ter vindo para o Natal — Adrienne falou, com a voz tão suave que Amanda teve dificuldade para ouvir — eu já havia organizado, tudo. Tinha reservado até um quarto no hotel — ela disse — para podermos passar a noite juntos. E comprei uma garrafa de *pinot grigio* — ela fez uma pausa.

— Há uma carta de Mark na caixa que explica tudo.

— O que aconteceu?

No escuro, Adrienne finalmente se virou. Metade de seu rosto permaneceu na sombra, e sua expressão fez com que Amanda sentisse um calafrio.

Adrienne demorou um pouco para responder e as palavras flutuaram no escuro.

— Você não sabe? — ela sussurrou.

Capítulo dezessete

A carta, Amanda reparou, tinha sido escrita com o mesmo papel de caderno que Paul havia usado para escrever o bilhete. Percebendo que suas mãos estavam um pouco trêmulas, Amanda usou a mesa como apoio.

Então, depois de dar um suspiro profundo, ela abaixou o olhar.

Querida Adrienne,

Ao me sentar para escrever, percebo que não sei como começar uma carta como esta. Afinal, nós nunca nos encontramos, e apesar de conhecer você por intermédio do meu pai, não é a mesma coisa. Parte de mim gostaria de poder fazer isso pessoalmente, mas devido aos meus ferimentos, não poderei ir embora agora. Por isso, aqui estou eu, lutando com as palavras e me perguntando se alguma coisa do que escrever terá alguma importância.

Desculpe não ter telefonado, mas decidi que não seria mais fácil ouvir o que tenho a dizer. Eu mesmo ainda estou tentando entender, e esse é um dos motivos por que resolvi escrever.

Eu sei que meu pai lhe falou a meu respeito, mas acho que é importante que você conheça nossa história sob o meu ponto de vista. Minha esperança é que isso faça com que você tenha uma ideia de como era o homem que a amou.

Você precisa entender que eu não tive um pai enquanto estava crescendo. Sim, ele morava na casa; sim, ele sustentava a mim e a minha mãe; mas ele nunca estava por perto, a não ser para brigar comigo por ter tirado B no boletim. Eu me lembro de que quando era pequeno, todo ano eu participava da feira de ciências da minha escola; do jardim de infância até a oitava série, meu pai não apareceu uma única vez. Ele nunca me levou para assistir a um jogo de beisebol, e nunca brincou comigo no quintal; também nunca demos uma volta de bicicleta. Ele me disse que lhe contou essas coisas, mas pode acreditar que foi pior do que ele pôde ter feito parecer. Quando vim para o Equador, eu me lembro de que esperava sinceramente nunca mais vê-lo.

Então, sem mais nem menos, decidiu vir pra cá, para ficar comigo. Você precisa entender que, bem no fundo, meu pai sempre demonstrou uma arrogância que eu detestava, e eu imaginei que ele estivesse vindo por causa disso. Pude imaginá-lo tentando agir como um pai de uma hora para a outra, querendo me dar conselhos que eu não queria e nem precisava. Ou reorganizando a clínica para torná-la mais eficiente, ou tendo ideias brilhantes para tornar o lugar mais habitável para nós. Ou até cobrando favores devidos a ele ao longo dos anos para trazer uma equipe inteira de jovens médicos voluntários para trabalhar na clínica, enquanto se certificava de que toda a imprensa do nosso país soubesse exatamente quem era o responsável por todas essas boas ações. Meu pai sempre adorou ver seu nome na imprensa, e ele realmente sabia o que uma boa publicidade poderia fazer por ele e por seu consultório. Quando chegou, eu estava pensando em arrumar minhas malas, voltar para casa e deixá-lo pra trás. Eu já tinha preparado uma dezena de respostas para quase tudo o que ele pudesse dizer. Desculpas? Um pouco tarde pra isso. Bom te ver? Gostaria de poder dizer o mesmo. Acho que deveríamos conversar? Eu não acho que isso seja uma boa ideia. Em vez disso, tudo o que ele disse foi "Ei", e quando viu a expressão do meu rosto, simplesmente acenou com a cabeça e se afastou. Esse foi o único contato que tivemos durante a primeira semana que ele passou aqui.

E as coisas não melhoraram muito logo depois. Durante meses, continuei imaginando que ele voltaria a ser como era antigamente, e esperava por isso, pronto para acusá-lo. Mas isso nunca aconteceu. Ele nunca reclamou do trabalho ou das condições, dava sugestões somente quando lhe perguntavam diretamente. Apesar de nunca ter reclamado qualquer crédito por isso, o diretor finalmente admitiu que meu pai é quem tinha fornecido os novos equipamentos e medicamentos de que precisávamos desesperadamente, apesar de ele ter insistido para permanecer no anonimato.

Acho que o que mais me agradou foi o fato de ele não fingir que éramos algo que não éramos. Durante meses, continuamos sem ser amigos e eu não o considerava um pai, e mesmo assim, ele não tentou mudar meu pensamento em relação a essas coisas. Ele não me pressionou de maneira alguma, e acho que foi aí que comecei a baixar a guarda em relação a ele.

Acho que o que estou tentando dizer é que meu pai havia mudado, e pouco a pouco, comecei a pensar que havia alguma coisa nele que merecia uma segunda chance. E apesar de saber que ele já estava diferente quando conheceu você, você foi a principal responsável por ele ter se tornado essa outra pessoa. Antes de conhecê-la, ele estava à procura de algo. Depois que você apareceu, ele encontrou.

Meu pai falava a seu respeito o tempo todo, e só posso imaginar a quantidade de cartas que ele deve ter lhe enviado. Ele te amava, e tenho certeza de que você sabia disso. O que você talvez não saiba é que tenho minhas dúvidas de que ele soubesse o que era amar alguém antes de você aparecer. Meu pai havia conseguido muitas coisas na vida, mas tenho certeza de que ele trocaria tudo por uma vida ao seu lado. Considerando que foi casado com minha mãe, não é fácil escrever uma coisa dessas, mas pensei que você gostaria de saber. E parte de mim sabe que ele ficaria satisfeito com a ideia de que eu entendi o quanto você significou para ele.

De alguma maneira, você transformou meu pai, e por sua causa, eu não trocaria este último ano por nada. Eu não sei como você conseguiu, mas transformou meu pai em um homem de quem sinto saudade. Você o salvou, e acho que ao fazer isso, de certa maneira você me salvou também.

Ele estava em um posto afastado da clínica por minha causa, você sabe. Aquela noite foi absolutamente horrível. Vinha chovendo há dias, todas as estradas estavam cobertas de lama. Quando falei pelo rádio com a clínica principal para dizer que não conseguiria chegar porque meu jipe não estava pegando, e que estava prestes a haver um deslizamento de terra, ele pegou outro jipe — sob os protestos veementes do diretor — para tentar me alcançar. Meu pai veio me salvar quando vi que era ele atrás do volante, pela primeira vez pensei nele de outra maneira. Até então, sempre fora meu pai, mas não "o meu pai", se é que você entende o que quero dizer.

Nós saímos bem na hora. Em poucos minutos, ouvimos o barulho do deslizamento da montanha, destruindo o posto instantaneamente lembro-me de que olhamos um para o outro, sem conseguir acreditar que tivéssemos escapado por tão pouco.

Gostaria de poder lhe contar o que deu errado depois disso, mas não consigo. Ele estava dirigindo com cuidado e quase conseguimos chegar. Eu até consegui ver as luzes da clínica logo abaixo no vale. Mas, de repente, o jipe começou a derrapar e nós rodamos, e só me lembro de que fomos jogados pra fora do carro e percebi que estávamos descendo pela montanha.

Apesar de ter quebrado o braço e algumas costelas, eu estava bem, mas percebi imediatamente que meu pai não estava. Eu me lembro de ter gritado para que ele aguentasse firme, que eu ia pedir ajuda, mas ele agarrou minha mão e me segurou no lugar. Acho que sabia que não ia aguentar e queria que eu ficasse com ele.

Então, esse homem que tinha acabado de salvar minha vida me pediu para perdoar-lhe.

Ele te amava, Adrienne. Por favor, nunca se esqueça disso. Apesar do pouco tempo que passou com ele, ele te adorava, e eu sinto muito por sua perda. Quando as coisas estiverem difíceis, como estão pra mim, lembre-se de que ele não apenas faria por você a mesma coisa que fez por mim, mas que graças a você eu tive a chance de conhecer, meu pai e de amá-lo.

Acho que o que estou tentando dizer é: muito obrigado.

Mark Flanner

Amanda colocou a carta sobre a mesa. Agora a cozinha estava praticamente no escuro, e ela conseguia ouvir o barulho da própria respiração. Sua mãe havia ficado na sala de estar, sozinha com seus pensamentos. Amanda dobrou a carta pensando em Paul, em sua mãe e, estranhamente, pensando em Brent.

Com muito esforço, ela conseguiu pensar naquele Natal de tantos anos atrás — no quanto sua mãe estava calada, nos sorrisos que pareciam um pouco forçados, nas lágrimas inexplicáveis, o que os fez pensar que tivesse alguma coisa a ver com seu pai.

E em momento algum ela disse qualquer coisa.

Apesar de sua mãe e Paul não terem passado juntos tantos anos quanto ela havia passado com Brent, Amanda sentiu que a morte de Paul havia atingido sua mãe com a mesma intensidade que ela sofrera ao sentar ao lado da cama de Brent pela última vez — com uma diferença: ao contrário dela, sua mãe não tivera a oportunidade de se despedir.

Ao ouvir o som abafado dos soluços da filha, Adrienne se afastou da janela na sala de estar e caminhou até a cozinha. Amanda ergueu os olhos em silêncio, os olhos cheios de angústia silenciosa.

Adrienne ficou parada, olhando para a filha, e então abriu os braços. Instintivamente, Amanda se levantou, tentando sem sucesso conter as lágrimas, e então mãe e filha ficaram ali na cozinha, abraçadas durante muito, muito tempo.

Capítulo dezoito

O ar estava um pouco mais frio e Adrienne acendeu algumas velas na cozinha para aquecer e iluminar o espaço. Sentada à mesa, havia colocado a carta de Mark de volta na caixa, com o bilhete e a foto. Amanda a observava, circunspecta, com as mãos no colo.

— Sinto muito, mãe — ela disse suavemente —, por tudo. Por você ter perdido Paul, por ter passado por tudo isso sozinha. Eu não consigo imaginar como deve ter sido guardar tudo isso com você.

— Eu também não. Eu nunca conseguiria sem ajuda — Adrienne falou.

Amanda balançou a cabeça.

— Mas você conseguiu — ela sussurrou.

— Não, eu sobrevivi, mas não consegui fazer isso sozinha.

Amanda pareceu confusa. Adrienne sorriu melancolicamente para ela.

— O vovô — ela disse, finalmente. — Meu pai. Foi com ele que chorei. Durante semanas, eu chorava com ele todos os dias. Sem ele, eu não sei o que teria feito.

— Mas... — Amanda não acabou de falar. Adrienne continuou por ela.

— Mas ele não conseguia falar? — Adrienne fez uma pausa — ele não precisava. Ele me ouvia, e era disso que eu precisava. Além disso, eu sabia que não havia nada que ele pudesse dizer para fazer com que a dor desaparecesse, mesmo que pudesse falar — ela ergueu os olhos —, você sabe disso tanto quanto eu.

Amanda comprimiu os lábios.

— Gostaria que você tivesse me contado. Quero dizer, antes.

— Por causa de Brent?

Amanda fez que sim.

— Eu sei que gostaria, mas você ainda não estava preparada para ouvir. Você precisava de tempo para elaborar sua perda do seu próprio jeito, da sua maneira pessoal.

Durante algum tempo, Amanda ficou calada.

— Não é justo. Você e Paul, eu e Brent — ela sussurrou.

— Não, não é.

— Como é que você conseguiu continuar vivendo depois de perdê-lo daquele jeito?

Adrienne sorriu, pensativa.

— Fui pensando em um dia de cada vez. Não é isso o que dizem que se deve fazer? Eu sei que parece banal, mas eu me levantava de manhã e dizia pra mim mesma que só precisava ser forte por um dia. Apenas um dia. E fui fazendo isso, dia após dia.

— Do jeito que você fala, parece tão simples.

— Não foi. Foi a época mais difícil da minha vida.

— Mais difícil do que quando papai foi embora?

— Isso também foi difícil, mas foi diferente — Adrienne exibiu um sorriso breve. — Foi você quem me contou, lembra-se?

Amanda desviou o olhar. Sim, ela pensou, eu me lembro.

— Gostaria de ter tido a chance de conhecê-lo.

— Você não teria gostado dele. Quer dizer, naquela época. Acho que nenhum de vocês gostaria. Vocês ainda tinham esperanças de que eu e seu pai nos reconciliássemos.

A mão de Amanda tocou instintivamente a aliança de casamento que ela ainda usava; ficou girando a aliança no dedo com uma expressão indecifrável.

— Você sofreu muitas perdas na vida.

— Sim, sofri.

— Mas você parece tão feliz agora.

— Eu sou.

— Como é que você consegue?

Adrienne juntou as mãos.

— Quando penso que perdi Paul ou quando imagino como poderiam ter sido os anos com ele, é claro que fico triste. Eu ficava e ainda fico. Mas você também precisa entender outra coisa: por mais difícil que tenha sido, por mais terrível e injusto que tenha sido o modo como as coisas aconteceram, eu não trocaria os poucos dias que passei com ele por nada neste mundo.

Ela fez uma pausa para se certificar de que a filha havia entendido aquilo.

— Em sua carta, Mark diz que eu salvei Paul dele mesmo. Mas se Mark tivesse me perguntado, eu teria dito que nós salvamos um ao outro, ou que ele me salvou. Se eu nunca o tivesse conhecido, duvido que tivesse conseguido perdoar a Jack, e não teria sido a mãe ou avó que sou agora. Por causa dele, voltei para Rocky Mount sabendo que ficaria bem, que as coisas dariam certo, que, independentemente de qualquer coisa, eu iria conseguir. E o ano que passamos trocando cartas me deu a força de que eu precisava quando soube o que havia acontecido com ele. Sim, eu fiquei arrasada por perdê-lo, mas se eu pudesse voltar no tempo — dessa vez sabendo o que aconteceria — eu ainda iria querer que ele fosse por causa do filho. Ele precisava acertar as coisas com Mark. Seu filho precisava dele — sempre havia precisado. E não era tarde demais.

Amanda desviou o olhar de novo, sabendo que ela também estava falando de Max e de Greg.

— É por isso que lhe contei essa história desde o começo — Adrienne continuou —, não apenas porque passei pelo que você está passando agora, mas porque queria que você entendesse como era importante a relação dele com o filho. E o que significou para Mark saber disso. Essas feridas são difíceis de cicatrizar, e não quero que você tenha mais feridas do que já tem.

Adrienne estendeu o braço sobre a mesa para alcançar a mão da filha.

— Eu sei que você ainda está sofrendo por causa de Brent, e não há nada que eu possa fazer para ajudar em relação a isso. Mas, se Brent estivesse aqui, ele lhe diria para pensar mais em seus filhos e não na morte dele. Ele gostaria que você se lembrasse dos bons momentos, não dos ruins. E, acima de tudo, ele gostaria de saber que você vai ficar bem, também.

— Eu sei de tudo isso.

Adrienne interrompeu-a, impedindo-a de terminar a frase, apertando suavemente sua mão.

— Você é mais forte do que pensa — ela continuou —, mas só se quiser ser.

— Não é tão fácil assim.

— É claro que não, mas você precisa entender que não estou falando das suas emoções. Essas, você não pode controlar. Você ainda vai chorar, ainda vai ter momentos em que vai achar que não consegue continuar. Mas tem de agir como se fosse conseguir. Em momentos como estes, as ações são a única coisa que você pode controlar — ela fez uma pausa. — Seus filhos precisam de você, Amanda. Acho que nunca precisaram tanto. Mas ultimamente você não tem dado atenção a eles. Sei que está sofrendo, e sofro por você, mas agora você é mãe e não pode continuar desse jeito. Brent não iria querer que fizesse isso, e seus filhos estão pagando o preço.

Quando Adrienne terminou, Amanda parecia estar estudando a mesa. Então, como se estivesse se movimentando em câmara lenta, ela ergueu a cabeça e olhou para cima.

Por mais que quisesse saber, Adrienne não tinha ideia do que Amanda estava pensando.

Dan estava dobrando a última das toalhas do cesto enquanto assistia à ESPN quando Amanda voltou pra casa. As roupas haviam sido espalhadas em pilhas pela mesa. Dan pegou o controle da TV automaticamente e diminuiu o volume.

— Eu já estava pensando quando é que você iria voltar — ele disse.

— Oi — Amanda falou, olhando ao redor. — Onde estão os meninos?

Dan apontou com a cabeça enquanto colocava mais uma toalha verde sobre a pilha.

— Eles foram para a cama faz alguns minutos. Devem estar acordados se você quiser dar boa noite.

— E onde estão os seus filhos?

— Eu os deixei em casa com Kira quando estávamos vindo pra cá. Só pra você saber, Max derrubou molho de pizza na camiseta do Scooby-Doo. Acho que ele deve gostar muito da camiseta porque ficou bastante chateado. Eu já deixei de molho no tanque, mas não consegui encontrar um removedor de manchas.

Amanda assentiu com a cabeça.

— Vou comprar no fim de semana. Tenho de fazer compras de qualquer jeito. Também estou precisando de outras coisas.

Dan olhou para a irmã.

— Se você fizer uma lista, Kira pode trazer o que você precisar. Eu sei que ela vai fazer compras.

— Obrigada, mas acho que já está na hora de voltar a fazer essas coisas.

— Tudo bem... — Ele sorriu. Por alguns instantes, nem ele nem a irmã disseram qualquer coisa.

— Obrigada por levar os meninos para passear — Amanda falou, finalmente.

Dan ergueu os ombros.

— Nada demais. Nós íamos sair de qualquer forma, e pensei que eles talvez gostassem.

A voz de Amanda ficou séria.

— Não, quer dizer, obrigada por todas as vezes que fez isso. Não apenas esta noite. Você e Matt têm sido ótimos desde que... desde que eu perdi o Brent, e não sei se, alguma vez, agradeci-lhes isso.

Dan desviou o olhar ao ouvir o nome de Brent. Ele pegou a cesta de roupa vazia.

— Para que servem os tios, certo? — ele mudou a perna de apoio, segurando a cesta à sua frente — Quer que eu volte para pegar os meninos amanhã de novo? Eu estava pensando em andar de bicicleta com as crianças.

Amanda balançou a cabeça.

— Obrigada, mas acho que não precisa.

Dan olhou para ela, com ar de dúvida. Amanda não pareceu ter percebido. Ela tirou o casaco e o colocou na cadeira junto com a bolsa.

— Tive uma longa conversa com a mamãe esta noite.

— É mesmo? E como foi?

— Você não iria acreditar na metade se eu lhe contasse.

— O que ela disse?

— Você precisava ter estado lá. Mas descobri uma coisa a respeito dela esta noite.

Dan ergueu uma das sobrancelhas, esperando.

— Ela é muito mais forte do que parece — disse Amanda.

Dan riu.

— É... claro, ela é muito forte. Ela chorou quando morreu o peixinho dourado.

— Pode ser verdade, mas em vários aspectos, eu gostaria de ser tão forte quanto ela.

— Aposto que sim.

Quando Dan reparou na expressão séria do rosto da irmã, percebeu de repente que ela não ia lhe contar nada. Ele ergueu ainda mais as sobrancelhas.

— Espera — ele disse —, você está falando da nossa mãe?

Dan saiu alguns minutos depois e, apesar de ter tentado descobrir o que sua mãe havia contado para Amanda, ela se recusou a falar. Ela entendia os motivos que levaram sua mãe a permanecer em silêncio, tanto no passado quanto no presente, e sabia que ela contaria a Dan se acreditasse que tinha alguma razão para isso.

Amanda fechou a porta depois que Dan saiu e olhou em volta para a sala de estar. Além de dobrar as roupas, ele havia arrumado a sala; ela se lembrava de que, antes de sair, havia fitas de vídeo jogadas perto da televisão, uma pilha de xícaras vazias na mesa do canto, uma porção de revistas jogadas aleatoriamente sobre a escrivaninha perto da porta.

Dan havia tomado conta de tudo. De novo.

Amanda apagou as luzes, pensando em Brent, pensando nos últimos oito meses, pensando em seus filhos. Greg e Max dividiam o quarto que ficava em um dos lados do corredor; o quarto principal ficava no lado oposto. Ultimamente, a distância parecia longa demais para atravessar no final do dia. Antes da morte de Brent, ela ajudava os meninos a fazer suas orações e lia para eles as histórias de livrinhos coloridos antes de puxar as cobertas até o pescoço.

Esta noite, seu irmão havia feito isso para ela. Na noite anterior, ninguém fizera.

Amanda subiu as escadas. A casa estava escura, o corredor mergulhado nas sombras. No alto da escada, ouviu os sussurros entrecortados dos filhos. Caminhou pelo corredor e parou na entrada da porta do quarto deles, espiando o interior.

Eles dormiam em camas idênticas, com os edredons decorados com dinossauros e carros de corrida; havia brinquedos espalhados entre as camas. A luz de um abajur na prateleira perto do guarda-roupa iluminava o quarto, no silêncio, Amanda viu novamente o quanto os dois meninos eram parecidos com o pai.

Eles pararam de se mexer. Sabendo que ela estava olhando, queriam que ela pensasse que estavam dormindo, como se sentissem mais seguros escondendo-se da mãe.

O piso fez um barulho debaixo dela. Max parecia estar prendendo a respiração. Greg estava espiando, mas fechou os olhos quando ela se sentou na cama ao seu lado. Inclinando-se, ela o beijou no rosto e passou a mão em seu cabelo.

— Ei — ela sussurrou —, você está dormindo?

— Estou — ele disse.

Amanda sorriu.

— Quer dormir com a mamãe esta noite? Na cama grande?

Greg pareceu demorar alguns minutos para entender o que ela havia dito.

— Com você?

— Sim.

— Tudo bem — Greg respondeu.

Amanda o beijou de novo, olhando para ele enquanto se sentava. Ela foi até a cama de Max. Seu cabelo louro brilhava com a luz que vinha da janela, parecendo um enfeite de Natal.

— Ei, amor.

Max engoliu em seco, os olhos fechados.

— Posso ir também?

— Se quiser.

— Tudo bem — ele disse.

Amanda sorriu enquanto eles se levantavam, mas quando começaram a andar na direção da porta, Amanda puxou-os por trás e abraçou os dois; sentiu neles cheiro de terra e de areia, cheiro da própria inocência.

— Que tal se nós formos até o parque amanhã? E depois podemos ir tomar sorvete — ela disse.

— Podemos empinar pipa? — Max perguntou.

Amanda apertou-os com mais força, fechando os olhos.

— O dia inteiro. E depois de amanhã também, se quiserem.

Capítulo dezenove

Passava da meia-noite. Em seu quarto, Adrienne estava sentada na cama segurando a concha. Dan havia telefonado uma hora antes, cheio de novidades a respeito de Amanda.

— Ela me disse que ia levar os meninos para passear amanhã, só os três. Que eles precisavam passar mais tempo com a mãe deles — Dan fez uma pausa. — Eu não sei o que você disse, mas acho que funcionou.

— Que bom.

— Então? O que foi que você disse pra ela? Ela não quis comentar nada.

— A mesma coisa que venho dizendo há muito tempo. O mesmo que você e Matt vêm dizendo.

— Então por que ela a escutou desta vez?

— Acho — Adrienne falou, elaborando as palavras — que ela finalmente quis ouvir.

Mais tarde, depois de ter desligado o telefone, Adrienne leu as cartas de Paul, como sabia que faria. Apesar da dificuldade para ver as palavras que ele havia escrito por causa das lágrimas, foi mais difícil ainda ler o que ela havia escrito. Havia lido aquelas cartas inúmeras vezes, as que havia escrito para Paul no ano em que ficaram separados. As suas cartas estavam em outro maço, o maço que Mark Flanner havia trazido quando apareceu em sua casa dois meses depois que Paul foi enterrado no Equador.

Amanda se esquecera de perguntar a respeito da visita de Mark antes de sair, e Adrienne não a lembrou. Talvez um dia Amanda voltasse ao assunto, mas Adrienne não tinha certeza do quanto iria revelar. Essa era a parte da história que havia guardado inteiramente para si mesma durante aqueles anos, trancada, como as cartas. Nem mesmo seu pai sabia o que Paul havia feito.

Sob o brilho pálido da luz da rua que brilhava através da janela, Adrienne se levantou da cama, pegou um casaco e um cachecol no guarda-roupa e depois desceu as escadas. Abriu a porta dos fundos e saiu.

As estrelas estavam brilhando como pequenas lantejoulas na capa de um mágico, e o ar estava úmido e frio. No quintal, ela viu as poças de água refletindo a escuridão acima. Luzes brilhavam nas janelas dos vizinhos, e apesar de saber que era apenas imaginação sua, quase conseguia sentir um cheiro de sal no ar, como se a brisa marinha estivesse sendo trazida pelos quintais da vizinhança.

Mark havia chegado em sua casa em uma sexta-feira pela manhã; seu braço ainda em uma tipoia, mas ela quase não percebeu. Em vez disso, ficou olhando para ele, incapaz de desviar o olhar. Ele era exatamente igual ao pai, ela pensou. Quando ele exibiu um sorriso cheio de tristeza ao ver a porta aberta, Adrienne recuou, esforçando-se para conter as lágrimas.

Eles se sentaram à mesa, com duas xícaras de café entre eles, e Mark tirou as cartas da mochila que trouxera com ele.

— Ele as guardou — Mark falou. — Eu não sabia o que mais poderia fazer com elas, a não ser trazer pra você.

Adrienne assentiu com a cabeça e pegou-as.

— Obrigada pela carta que me escreveu — ela disse —, eu sei o quanto deve ter sido difícil para você escrever aquilo.

— Não precisa agradecer — ele respondeu, e depois ficou um bom tempo em silêncio. Então, finalmente ele lhe contou por que tinha vindo.

Agora, ali na varanda, Adrienne sorriu ao pensar no que Paul havia feito por ela. Ela se lembrou de ter ido visitar seu pai na clínica depois que Mark foi embora. Como Mark havia explicado ao sentar-se à mesa, Paul já havia tomado providências para que tomassem conta de seu pai até o fim de seus dias — presente com o qual pretendia surpreendê-la. Quando começou a protestar, Mark deixou claro que aquilo iria magoá-lo profundamente se ela não aceitasse.

— Por favor — ele disse por fim —, isso era o que meu pai queria.

Nos anos seguintes, ela iria acalentar o último gesto de Paul, assim como acalentava todas as lembranças dos poucos dias que haviam passado juntos. Paul ainda significava tudo para ela, sempre significaria tudo para ela, e no ar frio de noite do fim do inverno, Adrienne sabia que iria se sentir assim para sempre.

Ela já havia vivido mais anos do que ainda tinha pela frente, mas não parecia tanta coisa. Anos inteiros haviam sumido da sua memória, desaparecido como pegadas na areia perto da água. Com exceção do tempo que passou com Paul Flanner, às vezes tinha a impressão de ter passado pela vida com a consciência de uma criança pequena num longo passeio de carro, olhando pela janela para a paisagem que passava ao lado.

Ela havia se apaixonado por um estranho durante um fim de semana e nunca mais iria se apaixonar por alguém. A vontade de amar novamente tinha acabado em uma montanha do Equador. Paul havia morrido por seu filho e, nesse momento, parte dela morrera também.

Mas ela não era uma mulher amarga. Se tivesse passado pela mesma situação, também teria tentado salvar seu filho. Sim, Paul havia morrido, mas tinha lhe deixado tanto. Havia encontrado o amor e a alegria, encontrara uma força que não sabia que tinha, e nada poderia jamais lhe tirar essas coisas.

Mas agora estava tudo acabado, menos as lembranças, e ela as havia elaborado com um cuidado infinito. Eram tão reais para ela quanto a cena que estava observando agora. Ignorando as lágrimas que tinham começado a cair no escuro vazio de seu quarto, ergueu a cabeça. Olhando fixamente para o céu, inspirou profundamente, apurou o ouvido e imaginou o eco das ondas que quebravam na praia em uma noite chuvosa em Rodanthe.

RR DONNELLEY

IMPRESSÃO E ACABAMENTO
Av Tucunaré 299 - Tamboré
Cep. 06460.020 - Barueri - SP - Brasil
Tel.: (55-11) 2148 3500 (55-21) 3906 2300
Fax: (55-11) 2148 3701 (55-21) 3906 2324

IMPRESSO EM SISTEMA CTP